L'ANNULAIRE

DU MÊME AUTEUR
AUX ÉDITIONS ACTES SUD

La Piscine, 1995.
Les Abeilles, 1995.
La Grossesse, 1997.
La Piscine / Les Abeilles / La Grossesse, Babel n° 351.
Le Réfectoire un soir et une piscine sous la pluie suivi de
Un thé qui ne refroidit pas, 1998 ; Babel n° 833.
L'Annulaire, 1999 ; Babel n° 442.
Hôtel Iris, 2000 ; Babel n° 531.
Parfum de glace, 2002 ; Babel n° 643.
Une parfaite chambre de malade suivi de *La Désagré-
gation du papillon*, 2003 ; Babel n° 704.
Le Musée du silence, 2003 ; Babel n° 680.
La Petite Pièce hexagonale, 2004 ; Babel n° 800.
Tristes revanches, 2004 ; Babel n° 919.
Amours en marge, 2005 ; Babel n° 946.
La Formule préférée du professeur, coéd. Leméac, 2005 ;
Babel n° 860.
La Bénédiction inattendue, 2007 ; Babel n° 1100.
Les Paupières, 2007 ; Babel n° 982.
La Marche de Mina, 2008 ; Babel n° 1044.
Œuvres, tome I, coll. "Thesaurus", 2009.
La Mer, coéd. Leméac, 2009 ; Babel n° 1215.
Cristallisation secrète, coéd. Leméac, 2009 ; Babel n° 1165.
Les Tendres Plaintes, 2010.
Manuscrit zéro, 2011.
Les Lectures des otages, coéd. Leméac, 2012.
Le Petit Joueur d'échecs, coéd. Leméac, 2013.

Titre original :
Kusuriyubi no hyohon
Éditeur original : Shincho-Sha Co., Ltd., Tôkyô
© Yôko Ogawa, 1994
représentée par le Japan Foreign-Rights Centre

YÔKO OGAWA

L'ANNULAIRE

récit traduit du japonais
par Rose-Marie Makino-Fayolle

BABEL

I

Cela fera bientôt un an que je travaille dans ce laboratoire de spécimens. Comme ce n'est pas du tout le même genre de travail que celui que je faisais avant, au début j'étais désorientée, mais, maintenant, j'y suis complètement habituée. Je maîtrise parfaitement l'endroit où sont rangés les papiers importants, je sais taper à la machine, et, en ce qui concerne les demandes de renseignements par téléphone, je suis capable d'expliquer poliment et avec gentillesse le rôle du laboratoire. De fait, la plupart des gens qui téléphonent sont satisfaits de mes explications, et sans doute aussi rassurés, puisque le lendemain ils viennent frapper à la porte du laboratoire, leur précieuse marchandise serrée sur le cœur.

Ici, le travail n'est pas aussi compliqué qu'il n'y paraît. Il suffit d'un peu d'ordre et de circonspection pour s'en acquitter sans problème. Il est même presque trop simple.

Mais je ne m'ennuie pas. Les choses que l'on nous apporte sont tellement variées que je ne m'en lasse pas, d'autant que, dans la plupart des cas, les visiteurs ne sont jamais pressés de repartir après avoir rempli les formalités nécessaires. C'est parce qu'ils ont envie de me raconter par quel concours de circonstances ces objets arrivent jusqu'à nous.

Ecouter ce qu'ils ont à dire est une part importante du travail. Je crois qu'au cours de cette année j'ai fait des progrès dans la manière de prêter l'oreille, de sourire ou de relancer la conversation de sorte que la personne en face de moi se sente à l'aise.

Nous ne sommes que deux à travailler ici : moi et M. Deshimaru qui est en même temps administrateur et spécialiste des spécimens. Ce n'est peut-être pas assez, compte tenu de l'importance du bâtiment. Ici, il y a un nombre incalculable de petites pièces, avec en plus un jardin, un grenier et un sous-sol, et aussi, même si elle n'est pas utilisée, une grande salle de bains.

Mais puisque la quantité de travail est indépendante de la grandeur des lieux, même si nous ne sommes que deux, nous pouvons utiliser au mieux l'espace du laboratoire. Il n'y a pas de problème d'heures supplémentaires ni de rendement, et je suis libre de prendre mes jours de congé.

Mon rôle et celui de M. Deshimaru sont clairement définis. En tant que technicien, il est responsable de la préparation des spécimens, tandis que moi je m'occupe de recevoir les visiteurs, classer les dossiers et autres tâches diverses.

C'est M. Deshimaru qui m'a expliqué l'organisation du travail : la manière de faire le planning, ce à quoi il faut faire attention quand on réceptionne quelque chose, l'utilisation de la machine à écrire, comment remplir un dossier, le jour du ramassage des poubelles et l'endroit où l'on entrepose le matériel pour faire le ménage, les ustensiles pour préparer le thé, ou les fournitures de bureau… Il m'a expliqué les règles par le menu avec beaucoup de patience. Il ne se met pas en colère quand je fais une faute, il me couvre avec sang-froid, et quand c'est difficile pour lui d'expliquer avec des mots, il me montre.

C'est ainsi que j'ai compris en quoi consiste le travail du laboratoire. Depuis que, progressivement, je suis devenue capable de faire à peu près tout, il n'est plus intervenu.

— Pour le reste, faites-le comme ça vous chante, ce sera parfait, m'a-t-il dit avant de s'absorber dans son propre travail.

Grâce à quoi j'ai pu m'organiser à mon rythme et donner mon propre style aux documents.

Ici, il n'y a ni ordres, ni obligations, ni règlements, ni slogans, ni services, ni réunion du matin. Je peux manipuler et conserver les spécimens en toute liberté. J'aime beaucoup le laboratoire. Si c'était possible, j'aimerais y rester pour toujours. Je crois que M. Deshimaru m'y autoriserait.

Avant de venir ici, je travaillais dans une usine de fabrication de boissons rafraîchissantes dans un village à la campagne près du bord de la mer. Elle se trouvait, entourée de vergers, au sommet d'une colline aux formes arrondies faisant suite à la plage. On y préparait des boissons gazeuses faites à partir du jus des clémentines, des citrons verts et des raisins récoltés sur place.

Après y avoir travaillé six mois dans le département du lavage des bouteilles, j'ai été affectée à la fabrication des sodas où je suis restée longtemps. Mon travail consistait à régler la chaîne, enlever les produits défectueux, vérifier le degré de transparence des boissons.

Ce n'était pas un travail très enthousiasmant, mais j'aimais bien bavarder avec mes collègues de nos petits amis et la mer étale vue des fenêtres de l'usine avait le don de m'apaiser. Mes journées baignaient dans un doux parfum de limonade.

Un jour d'été, à l'époque de l'année où nous étions le plus occupés avec les expéditions, je me suis coincé le doigt à la jonction entre la cuve pleine et la chaîne.

Ce fut si soudain que j'ai eu l'impression que le temps s'était arrêté. Le système de sécurité s'est aussitôt enclenché dans un grand bruit, la machine a stoppé et des gouttelettes sont tombées des bouteilles alignées sur la chaîne, tandis qu'au plafond clignotait la lampe de sécurité. Tout était devenu silencieux. J'étais moi aussi étrangement calme, attentive au silence. Je n'avais pas du tout mal.

Soudain, je me suis aperçue que du sang avait giclé jusque dans la cuve où il colorait la limonade en rose. Sa couleur claire pétillait avec les bulles.

Heureusement, la blessure n'était pas grave. Je m'étais juste arraché un morceau de chair à l'extrémité de l'annulaire de la main gauche. Mais il se peut que cela ait été plus grave que je ne le pensais. J'avais quand même perdu une partie de mon corps. Pour autant, je n'étais pas blessée au point de provoquer de l'inquiétude dans mon entourage. Il est vrai que lorsque l'on m'a enlevé mon bandage pour la première fois j'ai pensé que j'aurais du mal à me servir à nouveau de ma main gauche, tant j'avais la curieuse impression qu'un certain équilibre était rompu, mais cela ne m'a pas du tout gênée dans ma vie quotidienne et je m'y suis habituée en trois jours. La seule chose qui m'a fait souffrir, c'est le fait que je me demandais où était passé le morceau de chair arraché à mon doigt. L'image qu'il m'en restait était celle d'un petit bivalve rose comme une fleur de cerisier, souple comme un fruit mûr. Il tombait au ralenti dans la limonade et restait au fond, tremblotant avec les bulles.

Il se trouve qu'en réalité le bout de mon doigt, écrasé par les rouages de la machine, a été emporté par le flot de désinfectant.

J'étais désormais incapable de boire la moindre gorgée de boisson gazeuse, tellement j'avais l'impression de sentir sous ma langue le souple morceau de chair de mon annulaire. A cause de cet accident, j'ai arrêté de boire des sodas et de travailler à l'usine.

Je suis allée en ville avec mon doigt amputé. C'était la première fois que je quittais ce village du bord de mer pour aller si loin, et comme je n'y avais ni famille ni amis, au début, j'étais incapable de quoi que ce soit d'autre que d'y déambuler sans but. J'ai traversé des passages pour piétons, erré sur des chantiers, fait le tour des parcs, parcouru des quartiers souterrains, et c'est ainsi que je suis tombée sur le laboratoire.

Quand je l'ai découvert, j'ai pensé qu'il s'agissait d'un immeuble qui attendait la démolition. C'est dire à quel point il semblait vétuste et abandonné.

Autour s'étendait un quartier résidentiel assez aisé, dont les maisons avaient toutes des fenêtres en saillie, une niche à chien et un jardin avec pelouse. Les rues étaient propres et tranquilles, traversées de temps à autre par un véhicule. Dans cet environnement, le laboratoire dégageait une atmosphère bien particulière.

La construction en béton était imposante avec ses trois étages, mais les murs extérieurs, l'encadrement des fenêtres, les carreaux de l'allée qui y menait, les antennes, tout était défraîchi. J'ai eu beau chercher, je n'ai rien trouvé de neuf.

Des petits balcons, permettant tout juste à une personne de se tenir debout, se succédaient régulièrement, dix dans la largeur, quatre en hauteur. Leur rambarde en était complètement rouillée, mais comme ils étaient inoccupés et qu'il n'y avait rien, ni pinces à linge, ni pots de fleurs, ni cartons, pour y apporter un semblant de vie, ils ne dégageaient pas une impression de pauvreté.

Il y avait en outre neuf tuyaux de vide-ordures, quatre-vingts crochets à séchoir et quarante bouches d'aérateurs placés à intervalles réguliers, sans qu'il n'y en ait de déplacés ou détériorés.

Les vitres des fenêtres, épaisses et solides, étaient toutes nettoyées avec soin.

Les auvents en relief sur la façade formaient un motif qui ondulait selon leur inclinaison. C'était un bâtiment qui dissimulait par endroits ce genre de délicatesse.

Une petite annonce était collée sur le pilier en brique de l'entrée.

Recherchons employée de bureau
aide à la fabrication de spécimens
expérience, âge indifférents
sonnez ici.

C'était écrit au feutre noir, d'une écriture régulière. Le ruban adhésif collé aux quatre coins était sec et paraissait sur le point de se décoller. J'ai appuyé sur le bouton de la sonnette.

J'ai entendu sonner au loin. Le bruit semblait provenir d'une forêt profonde tapie au fond du bâtiment. La porte s'est ouverte après un temps assez long. M. Deshimaru se tenait debout devant moi.

— C'est pour l'annonce, ai-je dit, hésitante, en désignant le pilier. Ce n'est pas trop tard ?

— Non. Ça va. Entrez, je vous prie.

Il m'a invitée à le suivre d'un large geste de la main.

L'intérieur était plus accueillant que ce que l'on pouvait imaginer de l'extérieur. Sans doute à cause du plancher qui n'était pas aussi défraîchi que le béton, et des rayons du soleil de fin d'été qui venaient du jardin. En suivant le couloir derrière lui, j'ai réalisé que le bâtiment était carré avec une vaste cour intérieure débordant de végétation, sur laquelle donnaient une succession de pièces toutes de la même taille. C'est dans l'une de ces pièces qu'il m'a fait entrer.

Il y avait un canapé, une table basse, une armoire à cinq étagères, une lampe et une pendule qui remplissaient presque tout l'espace. Des rideaux bleu ciel étaient attachés de chaque côté de la fenêtre. Le plafond était haut, et l'abat-jour de la lampe qui pendait, en verre dépoli, était en forme de tulipe.

Je ne voyais rien ressemblant de près ou de loin à un spécimen. C'est là que nous avons eu un entretien. Nous étions assis face à face.

— Pour être franc, je n'ai pas vraiment de questions à vous poser. Bien sûr, j'aimerais bien savoir au moins votre nom et votre adresse, même si ces formalités n'ont aucune signification pour le laboratoire.

M. Deshimaru portait une blouse blanche comme celle des médecins et, bien calé sur le canapé, croisait les bras. Elle n'était pas usée, mais on sentait qu'il la portait depuis longtemps. Sur la poche droite, les poignets et la poitrine, il y avait des taches à peine distinctes, comme des traces de larmes.

— Je crois que c'est plutôt à vous de me poser des questions. Rien n'est précisé sur l'annonce.

Son regard était franc. Ses yeux n'étaient pas troubles. Malgré l'éclat de la lumière qui venait de la cour, je voyais distinctement le contour de ses prunelles.

— Oui, c'est vrai, ai-je murmuré, incapable de me détourner de ce regard si impressionnant.

Ensuite, j'ai inspiré profondément avant de continuer en choisissant mes mots :

— Il s'agit donc d'un laboratoire, à moins que ce ne soit une sorte de muséum ?

— Non. Absolument pas.

Il a secoué la tête en souriant, comme s'il s'attendait de ma part à ce genre de question.

— Ici, il n'y a ni recherches, ni expositions. Notre rôle consiste à préparer les spécimens et les conserver, c'est tout.

— Alors, à quoi servent ces spécimens ?

— Il est difficile de leur trouver un but commun. Les raisons qui poussent à souhaiter un spécimen sont différentes pour chacun. Il s'agit d'un problème personnel. Cela n'a rien à voir avec la politique, la science, l'économie ou l'art. En préparant les spécimens, nous apportons une réponse à ces problèmes personnels. Vous comprenez ?

Après un moment de réflexion, j'ai émis une réponse négative.

— Excusez-moi. Je crois que le travail est plus difficile que je ne le pensais...

— Mais non. C'est normal que vous soyez troublée. Un laboratoire de ce genre ne se trouve pas n'importe où, c'est pourquoi il faut un certain temps pour comprendre. D'ailleurs, ce laboratoire n'a pas d'enseigne, ni d'encart publicitaire dans l'annuaire. Les gens qui ont vraiment besoin d'un spécimen sont capables d'arriver jusqu'ici les yeux fermés. L'existence d'un laboratoire de spécimens doit être discrète.

Mais il me semble que ma manière d'expliquer n'est pas brillante. J'ai perdu du temps à essayer de vous énoncer le principe. La réalité est beaucoup plus simple. Un visiteur arrive avec l'objet qu'il veut faire naturaliser. Après les formalités d'usage, vous le prenez et j'en fais un spécimen. Ensuite, nous recevons une somme d'argent correspondant au travail accompli. En fait, c'est tout.

— Vous croyez que j'en serai capable ?

— Bien sûr, il n'existe pas de technique particulière. Le plus important, c'est la sincérité. Il ne faut rien négliger, même le spécimen le plus infime ou le plus insignifiant. Il faut les aimer.

Il a prononcé lentement ce dernier mot comme s'il était précieux.

Des petits oiseaux passaient au milieu de la végétation dans la cour. Le sillage d'un avion traversait le ciel en diagonale. Les rayons du soleil étaient encore imprégnés de lumière estivale. Le paysage, tout comme le bâtiment, était si calme qu'il semblait assoupi.

Comme il n'y avait rien entre nous deux, pas plus de tasse de café que de cendrier, de briquet ou de matériel pour écrire, je ne pouvais rien faire d'autre que me tenir immobile, les mains posées l'une sur l'autre sur mes genoux.

En regardant à nouveau M. Deshimaru, je me suis aperçue que l'expression dégagée par son visage et le reste de son corps n'était pas aussi forte que celle de son regard. Tout était bien proportionné, irréprochable. La couleur de sa peau, ses cheveux, la forme de ses oreilles, la longueur de ses membres, la ligne de ses épaules, sa voix, tout était équilibré. Néanmoins, je ne sais pourquoi je sentais l'imminence d'un danger qui me rendait réticente.

J'ai pensé que cela était sans doute dû au fait qu'il était complètement détaché de tout. Il n'avait pas de montre. Il n'avait même pas de stylo dans sa poche de poitrine. Pas d'ecchymoses non plus, ni grains de beauté ou cicatrices.

— C'est toujours aussi calme ? ai-je demandé, les yeux fixés sur les taches de son col.

— Oui. La préparation des spécimens est un travail tranquille. Et puis, ici, il n'y a que deux vieilles dames en dehors de moi.

— Des vieilles dames ?

— Nous sommes dans un ancien foyer de jeunes filles. Je vous parle d'une époque qui remonte à plusieurs dizaines d'années. Mais le nombre de pensionnaires a diminué progressivement, tout a pris de l'âge et le bâtiment s'est trouvé déserté. Les deux vieilles dames qui étaient encore là quand je l'ai acheté pour y aménager mon laboratoire sont restées. Si bien qu'elles continuent à vivre ici sans aucun lien avec les spécimens.

— Vous êtes seul pour les préparer ?

— Oui, c'est suffisant. Mais il me faut quelqu'un pour s'occuper du travail de bureau. Je voudrais me concentrer le plus possible sur la préparation. Cela fait un mois que l'employée précédente est partie, et je suis dans l'embarras.

Il se tut, resta un moment le regard perdu en direction de l'abat-jour en forme de tulipe, puis se leva prestement pour aller ouvrir la fenêtre qui donnait sur la cour. La vitre trembla, et un vent sec s'infiltra dans la pièce.

— Que faisiez-vous auparavant ? m'a-t-il demandé.

— Je travaillais dans une usine de boissons gazeuses.

— Ah bon ? Que diriez-vous d'un salaire de vingt pour cent supérieur à celui de l'usine ? Quant au bonus, l'équivalent de quatre mois pour les deux, été plus hiver. L'horaire étant de huit heures trente à dix-sept heures. Avec une pause d'une heure pour le déjeuner et de trente minutes dans l'après-midi. Mais le travail dépend du nombre de clients. Il arrive que personne ne vienne de la journée, vous savez. Les congés sont le samedi, le dimanche et les jours fériés. Vous avez droit également à des vacances. Ce n'est pas mal comme conditions, n'est-ce pas ?

J'ai acquiescé. Comme il avait la fenêtre derrière lui, les rayons du soleil qui enveloppaient sa blouse blanche l'auréolaient de lumière.

— Bon, c'est d'accord. Je vous engage.

Il a tendu son bras nimbé de lumière. Je me suis approchée pour lui serrer la main. Il l'a serrée très fort, comme s'il voulait emprisonner mes doigts à l'intérieur de sa paume.

Ensuite, j'ai demandé à M. Deshimaru de me montrer un spécimen, n'importe lequel. A la réflexion, je n'en avais jamais regardé avec attention, si bien que je n'en avais pas d'image concrète. J'avais peut-être vu autrefois des papillons ou des limules dans un laboratoire de sciences naturelles, mais je pensais que si je me trouvais dans un laboratoire particulier, comme semblait vouloir le dire M. Deshimaru, je me devais de jeter un coup d'œil aux spécimens qu'il réalisait.

Il m'a remonté un échantillon de champignons du laboratoire qui se trouvait au sous-sol. Mais je n'ai pas tout de suite compris qu'il s'agissait de champignons. Au début, j'ai pensé à des organismes primitifs des fonds marins. Parce qu'ils flottaient, gélatineux, dans le liquide dont le tube à essai était rempli.

— Je peux regarder de plus près ? ai-je demandé.

— Je vous en prie, m'a-t-il répondu en me passant le tube.

Il était assez fin, suffisamment petit pour tenir à l'intérieur de ma paume, et fermé par un bouchon de liège. Sur le bouchon était collée une étiquette portant, tapé à la machine, le nom de celui qui avait sans doute commandé cet échantillon, accompagné d'un chiffre et d'une lettre de l'alphabet.

Il y en avait trois en tout. Ils n'avaient que quelques millimètres de long, pied compris, et le chapeau, de forme ovale, était concave en son milieu comme des globules rouges. Ils bougeaient et s'entrechoquaient dans le liquide au moindre mouvement du tube à essai.

Le liquide incolore et transparent semblait un peu plus dense que l'eau. Il les enveloppait, faisant joliment ressortir leur couleur brillante de terre de Sienne brûlée.

— C'est cela un spécimen ? ai-je murmuré.

— Oui. C'est une jeune fille d'environ seize ans qui m'a apporté ces champignons. Elle les avait déposés tous les trois sur une couche de coton hydrophile dans une boîte de savon vide. En les voyant, je me suis tout de suite dit qu'il fallait faire vite. Parce que la dessiccation et la putréfaction avaient déjà commencé.

Nous observions le tube, M. Deshimaru et moi.

— Elle m'a dit que ces champignons avaient poussé sur les ruines de sa maison incendiée. Elle avait l'air tendu et, tête baissée, serrait fermement la poignée de son cartable posé sur ses genoux, mais son attitude et sa manière de parler étaient tout à fait correctes.

Elle avait une trace de brûlure sur la joue gauche. Une trace si légère que j'ai même failli ne pas la remarquer dans la lumière du soleil couchant, mais j'ai tout de suite deviné qu'elle était en relation avec l'incendie de sa maison.

"La maison a brûlé, mes parents et mon frère sont morts dans l'incendie, et je suis la seule rescapée. Le lendemain, j'ai trouvé ces champignons sur le sol calciné. Ils étaient tous les trois serrés l'un contre l'autre, si bien que je les ai cueillis spontanément. J'ai beaucoup réfléchi, et je pense que le mieux est sans doute de vous demander d'en faire des spécimens. Je voudrais enfermer avec ces champignons tout ce qui a disparu dans le feu. Est-ce que vous acceptez ?" a-t-elle brièvement expliqué, sans rien dire de superflu. Bien sûr, je lui ai répondu que j'étais d'accord. Elle avait parfaitement compris la signification du laboratoire. Je l'ai vu au fait qu'elle avait utilisé le mot "enfermer".

M. Deshimaru a eu un grand soupir.

J'ai rapproché un peu plus le tube à essai. Même les lamelles sous les chapeaux se reflétaient sur le verre. Ils ressemblaient à des objets en papier plié patiemment réalisés. Des spores étaient accrochées çà et là entre les lamelles.

— Quand allez-vous lui rendre ces champignons ?

— Je ne les rends pas. Tous les spécimens sont rangés et conservés par nos soins. C'est la règle. Bien sûr, nos clients peuvent venir leur rendre visite quand ils le désirent. Mais la plupart des gens ne reviennent jamais ici. C'est le cas aussi pour la jeune fille aux champignons. Parce que le sens de ces spécimens est d'enfermer, séparer et achever. Personne n'apporte d'objets pour s'en souvenir encore et encore avec nostalgie.

J'apercevais M. Deshimaru à travers la paroi de verre du tube à essai. Ses yeux étaient parfaitement immobiles. La lumière qui avait commencé à faiblir se découpait sur la table. La trace d'un avion dans le ciel s'apprêtait à disparaître dans le soleil couchant.

J'ai pensé soudain que ce n'était peut-être pas les champignons, mais mon annulaire de la main gauche qui se trouvait au bout de son regard. C'est une blessure qui ne se remarque pas en temps normal, mais à ce moment-là mon doigt était posé à la limite entre le liège et le verre, à portée de son souffle. Il avait le regard fixe, comme s'il essayait de reconstituer le morceau de chair qui manquait.

Nous sommes restés un moment silencieux. J'ai pensé modifier discrètement la position de mon doigt, mais plus j'en avais conscience, plus son extrémité était raide. L'œil de M. Deshimaru ne semblait pas vouloir se détacher de lui. Entre nous deux, les champignons n'en finissaient pas de vaciller.

II

Il faisait terriblement chaud depuis le matin, au point que le vieux et unique climatiseur de la réception ne suffisait pas, même poussé au maximum. La crème glacée achetée à midi a commencé à fondre et à couler alors que j'en avais à peine mangé la moitié, tandis que l'encre bleue utilisée pour remplir les formulaires bavait à cause de ma transpiration. De plus, la pièce étant trop bien exposée, j'étais obligée de déplacer le bureau et la chaise toutes les heures afin de pouvoir rester à l'ombre.

Puisque cette pièce était la loge du gardien à l'époque du foyer de jeunes filles, il y restait le coffre contenant les clefs, le tableau des lampes correspondant aux sonnettes d'alarme, et le micro réservé aux annonces à l'intérieur de l'immeuble. Tous des modèles anciens, comme ceux qu'on trouve dans les brocantes.

Il faisait si chaud que nous n'avons eu qu'une seule visite, et seulement deux coups de téléphone. Et encore, pas très importants, celui d'un homme d'âge moyen qui nous avait commandé quelques jours plus tôt le spécimen d'un calcul urinaire et qui voulait m'inviter à dîner, et une femme qui avait décelé une ombre maléfique sur la vitre de la porte d'entrée et qui nous proposait de la faire disparaître. Bien sûr, j'ai poliment éconduit les deux. La visite fut celle d'une belle jeune femme d'environ trente ans. Elle nous apportait une partition.

Je lui ai avancé une chaise, elle s'est assise et, croisant les jambes, a sorti plusieurs feuillets de son sac.

— Est-il possible de conserver ceci ? a-t-elle demandé posément.

Je les ai tirés vers moi. Le papier, couleur ivoire, était solide.

— Bien sûr, sans problème, lui ai-je répondu.

Au début, j'étais gênée à l'idée de conserver ce genre de substance inorganique. Ici, rares étaient les spécimens ordinaires tels que ceux d'insectes ou de végétaux, plus nombreux étaient les gens qui nous apportaient des objets que l'on pouvait conserver sans avoir à les naturaliser, comme des ornements de coiffure, castagnettes, pelotes de laine, boutons de manchettes, capes à maquillage ou jumelles de théâtre et *tutti quanti*.

Mais maintenant que je m'étais progressivement habituée à la signification des spécimens d'ici, si différente du monde extérieur, je ne m'étonnais plus que très rarement. On m'aurait apporté un échantillon de sperme dans un becher que j'aurais tout aussi bien pu faire la même réponse en souriant comme ce jour-là.

— J'ai entendu parler de vous par un parent éloigné qui a fait appel à vos services. Il paraît qu'on éprouve un réel soulagement après vous avoir demandé un spécimen…

— Oui, c'est exact. Ici c'est un endroit de sauvetage par le spécimen.

— Mais je m'inquiète de savoir si la matière n'est pas un peu trop spéciale, a-t-elle dit en désignant la partition. Ses ongles manucurés ont brillé. Ses joues, peut-être à cause de son fond de teint, semblaient fraîches et blanches au point de faire oublier la chaleur du dehors. La partie de ses bras qui dépassait des manches de son chemisier était fraîche elle aussi, et ne présentait aucune trace de transpiration.

— Ce n'est jamais trop spécial. Rassurez-vous. En deux jours ce sera fait.

— Ma demande ne concerne pas la partition elle-même, mais la musique qui y est inscrite, le son, a-t-elle dit avant de baisser la tête.

Il est vrai qu'il s'agissait d'une demande surprenante. Je me suis tue un instant, en suivant le bord de la partition du bout du doigt. Comme je n'avais pas appris à jouer d'un instrument et que les cours de musique ne m'avaient jamais intéressée, je n'avais aucune idée du type de musique qui y figurait. Je ne voyais sur la portée que des signes en forme de tourbillon et des notes qui semblaient avoir des ailes d'ange.

Seulement, comme ce n'était pas imprimé mais écrit avec soin au stylo à pointe fine, j'ai supposé que c'était sans doute très important pour elle.

Etait-il possible de faire un spécimen avec du son ? J'ai répété plusieurs fois mentalement ce mot qui ne me disait rien. Mais je craignais de l'inquiéter en réfléchissant trop longtemps. Et cela n'était pas dans le principe du laboratoire.

— Ici il n'y a rien que l'on ne puisse conserver, lui ai-je dit en faisant attention à ne pas laisser deviner mon trouble.

— Ah bon ?

Elle m'a adressé un sourire de soulagement.

— Ceux qui viennent nous voir sont toujours inquiets au départ à propos de leurs objets. C'est comme ça. Les spécimens sont là pour enfermer leur inquiétude.

J'ai répété fidèlement les mots que M. Deshimaru m'avait appris.

— Mais je dois vous emprunter cette partition comme base pour l'élaboration du spécimen. Bien sûr, la substance est le son. Pouvez-vous vous en séparer afin que le naturaliste puisse s'en servir ?

— Oui.

Elle a hoché la tête.

— Alors un instant s'il vous plaît, je vais vous enregistrer.

J'ai sorti un formulaire du tiroir de mon bureau, et je l'ai rempli avant d'inscrire le numéro correspondant sur la partition. C'était le 26-F30774. Puis j'ai tapé l'étiquette à coller sur le spécimen.

— Ce sera prêt dans deux jours à partir de midi. Vous devez absolument venir en personne reconnaître votre spécimen. Vous nous paierez à ce moment-là et tout sera terminé.

— Avez-vous une idée de la somme que cela va me coûter ?

— Je ne peux pas vous le dire exactement pour l'instant, car c'est le naturaliste qui fixe le prix, mais cela devrait être à peu près l'équivalent d'un menu complet pour une personne dans un restaurant français.

J'ai rassemblé les feuillets de la partition pour les ranger avec le formulaire dans le tiroir.

— C'est beaucoup plus simple que je ne le pensais, a-t-elle dit les yeux posés sur le bureau où il n'y avait plus rien.

— Oui, c'est simple.

Je lui ai souri.

Ensuite, nous avons bavardé un moment tout en buvant un thé glacé avec beaucoup de glaçons. Elle m'a alors confié par bribes les souvenirs relatifs à cette partition.

29

— Mon ami était compositeur. Il m'a offert ce morceau pour mon anniversaire. Il est aussi doux que si l'on avait le corps enveloppé dans du velours. A Noël, il m'a offert des aquarelles, et m'a rapporté de voyage un camée monté sur une épingle à chapeau. Après notre séparation, j'ai vidé les aquarelles dans le cabinet de toilette, et enterré l'épingle à chapeau. Il n'y a que le son que je n'ai pas réussi à supprimer…

C'était une histoire banale, néanmoins douloureuse.

Après avoir fini de parler, elle a bu son reste de thé glacé et m'a remerciée avant de s'évanouir dans les rayons du soleil d'été.

A cinq heures, j'étais en train de ranger lorsque M. Deshimaru est remonté du sous-sol.

— Il fait chaud en haut. Il va falloir demander à l'électricien de vérifier le fonctionnement du climatiseur, a-t-il dit en s'asseyant sur le coin du bureau pour prendre les objets de la journée dans le tiroir.

— C'est tout ce qu'il y a aujourd'hui ?

— Oui. C'est une demande de spécimen concernant la musique écrite sur cette partition.

— Bon. Alors demain, nous demanderons à la dame du 309 de la jouer au piano.

La dame du 309 était l'une des deux vieilles dames restées depuis l'époque du foyer de jeunes filles. Elle avait été pianiste et possédait un bon piano.

Je m'étais inquiétée de sa réaction à cette demande de spécimen sonore qui me semblait irréalisable, mais il était égal à lui-même. Je me suis sentie un peu soulagée.

— Dites-moi, vous n'auriez pas un moment aujourd'hui ? J'ai à vous parler.

Il me regardait en donnant des petits coups de talon sur le pied du bureau. Quand il me parlait ainsi en me fixant droit dans les yeux, je ne savais jamais où poser mon regard. Les mots que j'aurais dû dire restaient coincés dans ma gorge et je finissais par avoir du mal à respirer.

— Oui, ai-je répondu à mi-voix.

M. Deshimaru m'a seulement demandé de le suivre, sans aucune explication. Il m'a emmenée dans la salle de bains, tout au bout du rez-de-chaussée. J'en connaissais l'existence et je savais qu'elle datait de l'époque du foyer de jeunes filles, mais c'était la première fois que j'y allais.

Il a tiré sur la porte en verre dépoli. Elle coulissait mal et s'est ouverte par à-coups en faisant du bruit.

— Je vous en prie, a-t-il dit en m'invitant à entrer.

A l'intérieur ce n'était pas aussi délabré que je le croyais. Dans le vestiaire, le pèse-personne, les armoires fermées à clef et les paniers à vêtements en rotin étaient en bon état, tandis que dans la salle de bains les miroirs, les robinets et le carrelage bleu étaient encore propres. J'avais l'impression qu'on aurait pu tout de suite l'utiliser. Simplement, le fond de la baignoire était tellement sec qu'il semblait recouvert d'une couche de poudre blanche, et il flottait sur l'ensemble désert un parfum de désolation.

Nous nous sommes assis l'un à côté de l'autre sur le rebord de la baignoire. Grâce à la fraîcheur des carreaux et au courant d'air qui arrivait par un vasistas, il y faisait beaucoup plus frais qu'à la réception.

— Ici, c'est mon lieu de repos secret. C'est la première fois que j'y invite une femme.

Sa voix avait de l'écho et n'en finissait pas de résonner jusqu'au plafond.

— J'en suis très honorée.

La mienne s'est lancée à sa poursuite pour la rejoindre dans un coin du plafond.

— Je viens souvent ici après le travail et je reste là sans penser à rien. C'est que la préparation des spécimens est épuisante nerveusement, vous savez.

— C'est vrai. C'est un travail très minutieux.

— Dites-moi, vous ne trouvez pas que c'est le lieu idéal pour un rendez-vous ? On n'est dérangé par personne, c'est propre, et comme ça résonne, on est obligé de parler à voix basse et de se rapprocher.

Il m'a soufflé dans l'oreille pour s'amuser, et j'ai été tellement surprise que j'ai failli tomber à la renverse dans la baignoire. Il m'a rattrapée dans ses bras en riant.

Sur les murs de chaque côté se succédaient à intervalles réguliers robinets, pommes de douche et porte-savons. J'en ai compté quinze. Ils étaient tellement secs qu'ils évoquaient plus une décoration d'avant-garde qu'une installation de salle de bains.

Le carrelage bleu qui recouvrait toute la surface, plus ou moins foncé selon les endroits, formait quand on le regardait attentivement des motifs de papillon. C'était étonnant ces papillons dans une salle de bains, mais l'élégance de la couleur était telle que ce n'était pas du tout déplacé. Ils étaient posés un peu partout, sur la bouche d'évacuation des eaux, les parois de la baignoire, à côté de l'aérateur.

— Quel âge avez-vous ? m'a-t-il demandé soudain en s'arrêtant de rire.

— Vingt et un ans, ai-je répondu.

— Cela me tracasse depuis quelque temps, mais je trouve que vos chaussures ne sont pas assez sophistiquées pour votre âge.

J'ai regardé mes pieds qui pendaient à l'intérieur de la baignoire. Je portais des chaussures bon marché achetées au magasin du village à l'époque où je travaillais encore à l'usine de boissons gazeuses. Elles étaient en synthétique marron, à talons plats, et assez usées.

— Oui, vous avez raison, elles ne sont pas très élégantes.

— J'y pense à chaque fois que je regarde vos pieds. Il me semble qu'un autre type de chaussures devrait très bien vous aller.

— Vous croyez ?

— Bien sûr. Je voudrais que vous me laissiez vous en offrir une nouvelle paire, a-t-il dit sur un ton décidé en me donnant une boîte qu'il venait de prendre dans un sac en papier posé à côté de lui.

J'ai soulevé le couvercle, il y avait une paire de chaussures en cuir noir à l'intérieur. Il m'a encouragée à les sortir de la boîte. Elles étaient simples et bien faites. Le bout formait une jolie courbe et un discret ruban noir était fixé sur le cou-de-pied. Les talons, d'au moins cinq centimètres, étaient fins et durs.

— Pourquoi m'offrir des chaussures aussi coûteuses ?

— Cela fait un an que vous travaillez pour les spécimens. J'ai eu plusieurs employées jusqu'à présent, mais aucune n'a travaillé aussi consciencieusement que vous. Cela m'aide beaucoup. C'est pour vous remercier. Je les ai choisies pour vous, et j'aimerais que vous les portiez. Elles ne vous plaisent pas ?

— Au contraire. Mais elles sont trop belles pour moi.

— Alors tant mieux. Vous ne voulez pas les essayer ?

Et il est descendu dans la baignoire pour m'enlever mes vieilles chaussures.

Il a saisi mes jambes d'une main pour m'enlever de l'autre mes vieilles chaussures par le talon. Elles ont glissé très vite de mes pieds, je n'ai rien senti.

Mes pieds nus étaient dans sa main. Il tenait mes jambes tellement fermement que je ne pouvais pas bouger. Je n'avais rien d'autre à faire que de fixer mes vieilles chaussures tombées sur le sol, le bout des pieds effleurant la jointure des carreaux. L'une était tombée à l'envers, l'autre sur le côté, et elles ressemblaient aux cadavres plumés de deux petits oiseaux.

Ensuite, il a commencé par mettre une chaussure neuve à mon pied droit. Il a pris mon talon pour faire glisser mon pied d'un seul mouvement jusqu'à l'extrémité de la chaussure. Je sentais ses doigts durs et froids sur mon talon, mais l'intérieur de la chaussure était tiède et moite. Il n'y avait aucun temps mort dans le mouvement de ses mains, comme s'il procédait à un rituel déterminé à l'avance, si bien que je ne pouvais même pas remuer le petit doigt.

J'étais stupéfaite de voir que ces nouvelles chaussures m'allaient parfaitement. Elles m'enveloppaient les pieds en douceur, sans forcer où que ce soit.

— Elles me vont comme un gant, ai-je dit.

Il n'a pas répondu, et ne semblait pas vouloir me lâcher. Il caressait le dessus des chaussures, resserrait le ruban.

— On jurerait qu'elles ont été faites sur mesure. Comment avez-vous su ma pointure ?

— Je suis naturaliste, souvenez-vous. Il me suffit de voir un pied pour connaître sa pointure.

Il m'a enfin lâchée, si bien que j'ai pu tourner les chevilles et remuer le bout de mes pieds pour voir l'effet produit par mes nouvelles chaussures.

— Ça va, nous pouvons jeter les vieilles.

Il a ramassé d'une main celles qui se trouvaient par terre et les a serrées si fort qu'il les a écrasées. Elles étaient maintenant réduites à un vieux tas de plastique. Cela s'est passé si vite que je n'ai pas eu le temps de réagir.

— Vous ne voudriez pas marcher un peu pour me les montrer ? Il m'a déposée dans le fond de la baignoire avant de se rasseoir sur le bord. Essayez de faire deux ou trois tours.

J'ai levé les yeux vers lui en hésitant, ne sachant trop quoi faire. Comme ma position avait changé, la salle de bains ne me faisait plus la même impression. Mes chaussures en synthétique qu'il venait d'écraser étaient à hauteur de mes yeux et derrière lui se découpait le vasistas illuminé par le soleil couchant. Ses jambes, que je trouvais habituellement si fines dans leur tenue blanche, m'apparaissaient de près imposantes et solides. La salle de bains commençait à s'assombrir.

— Allez, vite.

Je n'avais aucune raison de refuser ce qu'il me réclamait. Je pensais qu'il était tout à fait naturel et anodin de marcher pour le remercier de m'avoir offert cette paire d'escarpins, mais il me semblait que dans le fond d'une baignoire c'était un peu trop singulier.

Comme il n'avait pas l'air disposé à attendre indéfiniment, j'ai avancé craintivement dans le sens des aiguilles d'une montre. Les talons faisaient un bruit saccadé, amplifié par le volume de la salle de bains.

Alors qu'il est si banal de marcher, là j'ai trouvé que c'était difficile. Le sol n'était pas plat, mais légèrement incliné vers la bouche d'évacuation, mes talons s'accrochaient dans les éclats du carrelage, et, plus que tout, je me sentais déstabilisée et maladroite du fait de son regard qui ne me quittait pas.

Mais la sensation de pression une fois dissipée, ils se sont révélés souples et légers. Au point que j'ai pensé n'en avoir jamais porté jusqu'alors m'allant aussi bien.

J'ai marché en comptant mes pas, les yeux sur les rubans, en évitant de penser à quoi que ce soit. J'ai fait un premier tour en vingt-trois pas, puis un deuxième en exactement le double. Pendant ce temps, j'ai marché quatre fois sur des papillons.

— J'aimerais que désormais vous les portiez tous les jours, m'a-t-il dit à la quatorzième enjambée du troisième tour.

J'ai acquiescé sans rien dire tout en continuant à avancer.

— Tout le temps, que ce soit dans le train, au travail, pendant les pauses, que je vous regarde ou non. C'est d'accord, n'est-ce pas ?

Il a levé le bras, a jeté mes vieilles chaussures par terre. Le bruit a déchiré l'air à mes pieds, alors que son geste n'était pas du tout violent et que son bras dans sa blouse blanche dessinait une jolie courbe. Il m'a semblé que ce bruit était le signe que je devais continuer encore à marcher. Le fond de la baignoire commençait à se remplir d'obscurité.

III

Le jour suivant, l'appartement n° 309 s'est transformé en salon de musique.

Lorsque M. Deshimaru et moi avons montré la partition à la dame du 309 en lui demandant si elle pouvait la jouer pour nous au piano, elle a d'abord été réticente.

— C'est que je n'ai pas touché le piano depuis un certain temps. Je ne sais pas si mes doigts pourront bouger… a-t-elle bredouillé en les pliant et les étirant à tour de rôle.

— S'il vous plaît. Nous avons absolument besoin de votre aide pour le spécimen, a dit M. Deshimaru.

La dame du 309, toute frêle et avec un petit chignon de cheveux blancs comme neige, portait une robe légère indigo. Ses doigts étaient tout ridés, mais ils avaient gardé l'allure de ceux d'une ancienne pianiste, avec leur silhouette élégante, la forme de leurs ongles et la souplesse de leurs articulations.

Elle a fini par accepter, mais elle a voulu se préparer avant de jouer.

L'appartement n° 309, typique des foyers de jeunes filles, était composé d'une pièce d'une dizaine de mètres carrés avec coin cuisine, lit, lavabo et meuble de rangement. Simplement, presque tout l'espace était occupé par le piano, le reste étant caché par son imposante silhouette.

Conformément à ses allégations, toutes sortes d'objets hétéroclites étaient posés dessus, pot à crayons, réveil, boîte de bonbons, coffret à bijoux avec mécanisme de boîte à musique, housse de théière tricotée à la main, vieilles photographies, métronome, si bien qu'on ne pouvait pas aisément en soulever le couvercle. Il fallait d'abord enlever tout ça.

On ne savait pas trop où les mettre car il n'y avait pas beaucoup de place, et finalement on décida de les poser sur le lit ou sur le sol. Nous avons transporté chaque objet avec précaution avant d'essuyer la poussière à l'aide d'un chiffon spécial pour pianos que la vieille dame nous avait prêté. Nous avons tiré la chaise de son coin où elle ne servait pratiquement plus que de dépôt à vêtements, et y avons posé un coussin avant de la placer devant le piano. Pendant ce temps-là, elle lisait la partition dans la cuisine.

Au moment de commencer à jouer, nous avons invité l'autre occupante, celle du 223.

C'était une charmante dame, une ancienne standardiste qui restait chez elle en permanence, où elle s'occupait à divers ouvrages.

M. Deshimaru a posé le porte-éprouvette sur le rebord du piano, y a glissé un tube vide, assez gros. Non seulement la pièce n'était pas grande, mais elle était pleine, si bien que chacun de nous a dû s'arranger pour trouver un endroit où s'asseoir. La dame du 223 a pris place entre le ventilateur et la coiffeuse, M. Deshimaru s'est appuyé sur l'étagère du meuble de rangement, et je me suis assise sur le coin du lit en faisant attention à ne pas faire tomber la boîte de bonbons et le coffret à bijoux qui se trouvaient dessus.

La dame du 309 a d'abord exécuté une révérence avant d'ouvrir la partition et prendre ses lunettes dans la poche de sa robe pour les mettre sur son nez. Après avoir regardé le clavier un certain temps, elle a lentement approché ses doigts.

C'était un drôle de morceau. La cliente avait dit qu'il était aussi doux que du velours, mais je l'ai trouvé beaucoup plus complexe et plus sec. La mélodie faisait des bonds incroyables, la même phrase se répétait jusqu'à donner sommeil, le tempo changeait soudain d'une manière imprévisible. J'avais l'impression qu'il aurait suffi d'un rien pour que l'ensemble s'éparpille, mais il réussissait à se maintenir de justesse en équilibre.

Elle a continué à jouer sans se tromper, mais ses doigts étaient crispés sur les touches polies et ses yeux qui déchiffraient la partition semblaient avoir de la peine à suivre. On ne savait pas trop si cette instabilité du son venait du morceau lui-même ou d'une faiblesse de l'interprétation. Mais pour le spécimen, l'un comme l'autre ne comptaient pas.

La dame du 223 semblait manifestement s'ennuyer. Elle a passé son temps à donner des petits coups sur le sol avec une épingle à cheveux qui avait roulé sous la coiffeuse et à modifier l'orientation du ventilateur.

M. Deshimaru ne se montrait pas particulièrement intéressé par la musique. Il était immobile, les bras croisés, le regard perdu.

Il n'y avait que quelques dizaines de centimètres entre lui et mes jambes qui pendaient du lit. J'aurais pu sentir son souffle sur mes pieds. Les escarpins qu'il m'avait offerts la veille étaient restés dans l'entrée. J'y jetais un coup d'œil de temps en temps.

Il faisait toujours aussi chaud, et dehors le temps était magnifique. Un léger courant d'air entrait par le balcon, qui faisait uniquement bouger les petits cheveux blancs sur la nuque de la vieille dame.

Le morceau s'est arrêté soudain, sans aucun signe avant-coureur. La vieille dame du 309 s'est levée, a salué encore une fois. Nous l'avons discrètement applaudie.

M. Deshimaru a fait un rouleau de la partition qu'il a enfermée dans le tube avant de le sceller avec le bouchon de liège. Ensuite, il a collé l'étiquette portant le numéro 26-F30774 sur le bouchon, et le spécimen sonore que la cliente nous avait commandé fut prêt.

Comme M. Deshimaru me l'avait demandé, je mettais mes escarpins de cuir noir tous les jours pour venir au laboratoire. Ils me semblaient un peu lourds à porter avec mes tenues d'été de couleur claire, mais pour ne pas trahir la promesse échangée avec lui dans la salle de bains, je ne pouvais échapper au curieux ensemble qu'ils formaient avec ma robe de lin blanc.

En me chaussant le matin, la pression de ses doigts sur mes jambes me revenait. C'était une drôle de sensation, pas vraiment douloureuse, mais qui m'entravait.

Les escarpins étaient légers, agréables à porter. Seulement, il m'arrivait parfois, l'espace d'un instant, de sentir mes pieds entièrement aspirés. A ce moment-là, j'avais l'impression que M. Deshimaru retenait mes jambes entre ses bras fortement serrés.

A partir de ce jour-là, nous avons pris l'habitude de nous retrouver régulièrement dans la salle de bains. Ce n'étaient pas de véritables rendez-vous, il y avait trop de choses bizarres, mais il est certain que M. Deshimaru me désirait et que je n'y étais pas insensible.

Tout d'abord, j'aimais bien cette "ambiance" de salle de bains. Par exemple, le fait de marcher main dans la main dans cet air immobile et froid, sans être dérangés par personne ; l'impression d'être deux à respirer quand tout dort, les robinets, les douches, l'aérateur et les lavabos ; la sensation que le moindre bruit, la moindre voix, se répercutent à l'infini sur les carreaux des murs.

En général, nous bavardions assis sur le rebord de la baignoire. Tandis que nous parlions, la couleur du ciel changeait peu à peu de l'autre côté du vasistas pour faire place à la nuit. Alors, il actionnait le levier du tableau de commande pour allumer la lumière.

Dès que l'électricité était allumée, la salle de bains dégageait une atmosphère différente. L'éclairage orangé était trop faible pour l'illuminer entièrement, si bien que les coins restaient dans l'ombre, mais le carrelage au fond de la baignoire brillait. L'ombre de la végétation du jardin se découpait sur le verre dépoli, oscillant à chaque coup de vent.

— Ça fait bizarre d'imaginer comment était cette salle de bains quand on l'utilisait autrefois, a-t-il commencé, tout disparaissait dans la buée, les vitres étaient recouvertes de gouttelettes et la baignoire pleine de vapeur. Il y avait toutes sortes de bruits s'entrechoquant, rires, eau qui coule, boîtes à savon qui tombent, et des jeunes filles, beaucoup de jeunes filles en train de se laver, alignées devant les robinets. Toutes nues.

— Et parmi elles, les dames du 309 et du 223.

— Oui, mais pas aussi vieilles que maintenant. Elles auraient toutes les deux à peu près votre âge. L'une se lave soigneusement les mains. Elle a mis beaucoup de savon et se masse les doigts un par un jusqu'à ce qu'ils soient absolument propres. L'autre, c'est la gorge. Elle n'a cessé de parler toute la journée au téléphone et elle est tellement enrouée qu'elle la réchauffe sous la douche.

— J'ai du mal à croire que cette époque a existé.

— Maintenant, tout est complètement sec. Il ne reste pas une goutte d'eau, aucune trace de savon. Les doigts de la pianiste et la voix de la standardiste ont pris de l'âge, et il n'y a plus que nous deux.

Il a pris ma main, m'a fait descendre dans la baignoire, m'a déshabillée. Il a défait un à un les boutons de mon chemisier à partir du haut, avant d'ouvrir la fermeture Eclair de ma jupe évasée. Tout s'est détaché de mon corps comme des pétales qui se fanent.

Ses doigts remuaient froidement et avec précision. Il a tout de suite trouvé le bouton du haut caché sous le col, comme la fermeture Eclair sous le repli de ma jupe.

Mes fins sous-vêtements sont tombés de la même manière.

C'était comme si la marche à suivre avait été déterminée à l'avance. Il contrôlait parfaitement la situation. Je n'avais rien d'autre à faire que me tenir immobile à guetter le bruit des boutons ou de la fermeture Eclair.

J'ai fini par me retrouver nue. Il ne restait plus que mes escarpins en cuir noir.

Je ne comprenais pas pourquoi il ne me les faisait pas enlever. Quand ses doigts se sont arrêtés, j'ai attendu qu'il fasse la même chose que lorsqu'il m'avait enlevé mes chaussures en synthétique marron. Mais j'ai eu beau attendre, il n'a pas eu un geste envers mes escarpins.

Alors que mes épaules et mon buste refroidissaient lentement sous la lumière orangée, seul le bout de mes pieds, enveloppé de cuir, restait tiède. J'avais l'impression d'être coupée en deux au niveau de la cheville. Le ruban noir était immobile au milieu du cou-de-pied.

Ensuite, nous nous sommes aimés au fond de la baignoire.

— On voit les étoiles, a-t-il dit.

Son souffle arrivait sur mes cheveux. Quelques points lumineux parsemaient le vasistas.

— Est-ce qu'il fera encore aussi chaud demain ?

— Sans doute.

— Quand il fait chaud plusieurs jours de suite, il n'y a pas beaucoup de clients.

— Le travail reprendra dès qu'il fera plus frais.

— C'est vrai ?

— Oui. C'est tous les ans la même chose. C'est calme l'été.

Nous avons continué un moment à parler à bâtons rompus.

Il me serrait très fort dans ses bras. Mais peut-être que le mot serrer n'est pas approprié. J'étais désemparée, incapable de comprendre comment nous étions l'un avec l'autre. Parce que cela ne m'était jamais arrivé – qui plus est dans une salle de bains désaffectée – d'être prise de cette manière.

J'étais toujours en escarpins et il portait sa blouse blanche. Mes vêtements, qu'il avait enlevés, étaient roulés en boule dans un coin de la baignoire. Nous étions directement allongés sur les carreaux, les jambes orientées vers la bouche d'évacuation. Il me serrait dans ses grands bras, mais pas doucement pour mieux goûter la sensation de nos deux corps, il m'étouffait plutôt comme s'il avait voulu adhérer complètement à moi.

J'étais coincée entre le carrelage et la blouse blanche. C'était pénible, mais pas insupportable. En tendant l'oreille les yeux fermés, je pouvais sentir l'atmosphère peser sur le jardin plongé dans l'obscurité.

— As-tu quelque chose à faire naturaliser ? m'a-t-il demandé soudain.

Nous étions tellement collés l'un à l'autre
que nous ne pouvions pas voir l'expression de nos visages. J'ai seulement senti sa
voix passer près de mon oreille.

— Je ne sais pas, ai-je répondu.

Et puis j'ai réfléchi.

— En fait, peut-être que oui, mais je
n'en suis pas consciente, à moins que dès
le départ je n'en aie pas eu besoin.

— Il n'existe personne qui n'en ait pas
besoin.

— Tu crois ?

— Il n'y a pas beaucoup de gens qui
trouvent le laboratoire, mais, en fait, tout le
monde a besoin de spécimens.

— Moi aussi ? Et même toi ?

— Oui, a-t-il acquiescé.

J'avais sous les yeux la légère tache de
sa blouse blanche sur sa poitrine. Elle
dégageait une vague odeur de produit
chimique. Ma voix a été entièrement absorbée par le tissu.

— Essaie de réfléchir à ce que tu aimerais avoir comme spécimen. Il y a certainement quelque chose.

Il m'a serrée encore plus fort dans ses
bras. Mon bassin, mes omoplates et mes
mollets étaient plaqués contre les carreaux
rugueux.

J'ai essayé de réfléchir comme il me le
demandait. En fermant les yeux, j'ai vu se

détacher le spécimen de champignons, le premier qu'il m'avait montré. Avec un annulaire se reflétant sur la paroi transparente du tube.

— Essayons de voir les choses autrement. Quel est ton souvenir le plus douloureux jusqu'à présent ?

J'ai ouvert les yeux.

— Douloureux… Justement, si je réfléchis bien, il me semble que je n'ai pas de souvenirs de cette sorte. Je peux trouver tout un tas de petites misères, mais je crois que je n'ai encore jamais rencontré de vrai malheur.

— Il y a bien une situation dans laquelle tu t'es sentie pitoyable ?

— Pitoyable… Quel drôle de mot, ai-je bredouillé avant de soupirer.

On entendait le piano au loin. Depuis son concert improvisé, la dame du 309 s'était peu à peu remise à l'instrument.

— Un moment où tu as eu vraiment honte ?

— …

— Où tu t'es sentie ridicule ?

— …

Sa voix se mêlait aux accents du piano dans le creux de mon oreille. Le carrelage me faisait tellement mal au dos que je voulais changer de position, mais il n'y avait pas le moindre espace entre nous qui aurait pu me le permettre. Mes jambes étaient dissimulées sous la blouse blanche. Et mes escarpins adhéraient fermement à mes pieds.

— Allez, réfléchis. Trouve-moi ton souvenir le plus pénible. Quelque chose de douloureux, embarrassant, épouvantable.

Il avait une voix paisible, mais ses mots étaient froids. Il en possédait toute une collection de ce genre. Je pouvais toujours continuer à me taire, il n'abandonnerait pas.

— C'est quand j'ai perdu le bout de mon annulaire gauche, ai-je murmuré dans un souffle.

— Où a-t-il disparu ? m'a-t-il demandé quand les dernières réverbérations de ma réponse se sont éteintes.

— Il est tombé dans la limonade.

— La limonade ?

— Oui. Il s'est coincé dans une machine de l'usine de boissons gazeuses.

— Que s'est-il passé ensuite ?

— Rien. Je me suis contentée de le regarder distraitement tomber en se balançant tout en colorant la limonade en rose.

— Alors ton annulaire ne sera jamais plus comme avant, c'est ça ?

J'ai acquiescé en appuyant ma joue contre sa blouse blanche au niveau de sa poitrine.

Il n'a rien dit de plus. Nous étions restés tellement longtemps sans bouger que j'avais l'impression d'avoir été transformée en un spécimen incorporé à lui.

IV

Les rayons du soleil d'été sont partis, le vent d'automne s'est mis à souffler, et lorsque la saison est enfin venue de porter des chaussures noires, le nombre de clients s'est mis à augmenter peu à peu, exactement comme l'avait dit M. Deshimaru. Il restait enfermé toute la journée dans le laboratoire au sous-sol, si bien que nous n'avions presque jamais l'occasion de nous voir, à l'exception de nos rencontres du soir dans la salle de bains.

Le nombre de spécimens ne cessait d'augmenter lui aussi, de sorte qu'au début de l'automne les salles réservées à leur conservation qui, à mon arrivée, allaient de la 101 à la 302 – en sautant bien sûr la 223 – se virent adjoindre la 303. Nous avons d'abord ouvert la fenêtre pour aérer et chasser la poussière avant d'essuyer. Puis nous avons fixé au mur le meuble spécialement commandé à la taille de la pièce, et ce fut prêt. Nous avons tout fait tous les deux.

— Je me demande combien de pièces il y a ici, lui ai-je demandé pendant que nous étions en train de travailler.

— Jusqu'à la 430, m'a-t-il répondu en serrant une vis du meuble.

— Le nombre de spécimens ne va pas décroître ?

— C'est impossible.

— Que fera-t-on quand toutes les pièces auront été utilisées et que cela ne suffira plus ?

— Il y a la bibliothèque. On peut aussi utiliser la salle de jeux en enlevant la table de ping-pong. Et la salle de bains.

— Quand on aura utilisé la salle de bains comme salle de conservation, qu'adviendra-t-il de nous ?

— Rien du tout. Il n'y aura rien de changé. Et puis, ici, il y a beaucoup plus de ressources que tu ne l'imagines. Tu n'as pas à t'inquiéter, m'a-t-il dit avant de serrer une deuxième vis.

Une jeune fille est venue par un matin pluvieux. Ses longs cheveux étaient rassemblés en arrière, et elle portait une robe classique. Elle a ouvert la porte de la réception en se préoccupant des gouttes de pluie qui tombaient de la pointe de son parapluie.

— Bonjour. Vous pouvez poser votre parapluie contre le mur. Il n'y a pas de porte-parapluies, excusez-nous. Asseyez-vous je vous prie, lui ai-je dit.

— Excusez-moi de vous déranger, m'a-t-elle répondu poliment avant de prendre place en face de moi.

Elle est restée silencieuse un moment, la tête baissée. Des gouttes de pluie brillaient à l'endroit où ses cheveux étaient attachés. Elle croisait et décroisait nerveusement ses mains posées sur ses genoux.

— Je vais préparer une boisson. Chaude, ça ira ?

Je suis allée au fond dans la cuisine pour réchauffer la citronnade déjà prête dans le réfrigérateur, que je lui ai servie accompagnée de cacahuètes enrobées de chocolat. La cuisine est petite, mais elle contient toutes sortes de boissons et de gourmandises afin de répondre aux attentes de la clientèle. Mon travail est aussi de savoir à la vue du client ce qui peut lui plaire. La seule chose que je n'ai pas, c'est de la limonade.

— Je vous remercie.

Elle a posé ses deux mains autour de la tasse, a prudemment approché ses lèvres.

— En fait, ce n'est pas la première fois que je viens ici, m'a-t-elle confié après avoir bu une gorgée de citronnade.

— Alors vous êtes venue voir votre spécimen, c'est cela ?

— Non, m'a-t-elle répondu en secouant la tête.

A ce moment-là, j'ai senti soudain quelque chose accrocher mon regard. Pas d'une manière désagréable, mais discrètement, comme si cette chose hésitait à me retenir. J'ai cligné deux ou trois fois des yeux.

Il y avait une trace de brûlure sur sa joue. Mais elle n'était pas du tout grave. Une trace légère, qui ne se remarquait pas, comme si la peau était recouverte d'un morceau de voile ajouré. On avait l'impression de distinguer la blancheur de sa joue en transparence.

— Est-il possible de demander deux spécimens pour une seule personne ?

J'ai aussitôt pensé que j'étais en présence de la jeune femme qui avait commandé le spécimen de champignons, celui que M. Deshimaru m'avait montré en premier.

— J'ai fait fabriquer un spécimen ici, il y a environ un an… a-t-elle dit, les yeux baissés sur la coupe en verre qui contenait les cacahuètes enrobées de chocolat.

— Et vous voulez en faire faire un nouveau, c'est bien cela ? ai-je continué, les yeux fixés sur la cicatrice de sa brûlure.

— Oui, mais ce n'est pas grave si c'est impossible. Je voudrais seulement savoir si le cas s'est déjà présenté.

— A vrai dire, je ne sais pas exactement car il n'y a pas très longtemps que je suis là, mais il suffit de consulter les dossiers, je suis sûre que c'est déjà arrivé. Et même dans le cas contraire, ne soyez pas inquiète. Nous n'avons aucune raison de refuser votre demande. Il n'y a pas de règlement intérieur. Nous pouvons faire tout ce que nous voulons dans le cadre du laboratoire.

— Ah, tant mieux ! s'est-elle exclamée pour la première fois d'une voix claire de petite fille avant de boire une deuxième gorgée de citronnade.

— Ce ne serait pas vous par hasard qui auriez demandé comme premier spécimen celui de trois champignons ?

— Si, c'est moi, m'a-t-elle répondu.

— Je m'en doutais. Je m'en souviens très bien. C'est le premier que j'ai vu en arrivant ici. Il brillait dans le liquide de conservation, et bougeait comme s'il était vivant, c'était très joli, savez-vous ? Nous le conservons toujours au 302. Il est en parfait état. Chaque lamelle, chaque spore est intacte. Voulez-vous que j'aille vous le chercher ?

— Non. Elle a lâché sa citronnade pour me faire signe de rester assise, alors que je m'apprêtais à me lever. Ce n'est pas la peine pour les champignons.

Elle ne semblait plus du tout intéressée par son spécimen.

Il pleuvait toujours. Son parapluie avait fait une petite flaque sur le sol. Il était mignon, avec ses petits chiens imprimés sur toute sa surface et sa poignée rouge. Il y a eu un bruit de sirène au loin, mais il a aussitôt disparu.

J'ai toussoté, puis poussé vers elle les cacahuètes enrobées de chocolat pour lui en offrir. Son regard s'est posé un moment dessus, à moins que ce ne fût sur la coupe en verre, mais elle n'a pas fait un geste pour en prendre. La lumière du plafond éclairait la trace sur sa joue.

— En tout cas, au laboratoire, nous sommes ravis que vous fassiez appel à nos services une deuxième fois. C'est la preuve que nos spécimens vous ont plu.

Elle a acquiescé d'un air ambigu.

— Alors, quel est donc ce nouveau spécimen que vous voudriez nous commander ? ai-je suggéré.

Elle est restée silencieuse un moment, la tête toujours baissée, caressant le bout de ses cheveux attachés. On entendait uniquement le bruit de la pluie. J'ai attendu patiemment.

— Cette brûlure, a-t-elle dit d'une voix limpide.

J'ai répété le mot intérieurement comme une formule incantatoire.

Brûlure, brûlure, brûlure, brûlure…

Sa voix se répercutait à l'infini, se fondant dans le bruit de la pluie.

Pour que ses cheveux rassemblés ne la gênent pas, elle les avait fait retomber sur l'épaule opposée à sa joue brûlée avant de me montrer son profil. Sa joue était plus rouge qu'au début, ce qui faisait ressortir la cicatrice encore plus nettement. On aurait pu voir à travers chaque petit vaisseau. Ses oreilles, ses yeux et ses lèvres n'avaient pas autant de charme que cette joue. J'ai eu envie de la caresser du bout des doigts, mais je me suis dominée en poussant un petit soupir.

Finalement, ne sachant plus quoi faire, je suis allée chercher M. Deshimaru au sous-sol.

— Je vous remercie d'avoir affronté la pluie pour venir, a-t-il déclaré, les mains enfoncées dans les poches de sa blouse blanche, appuyé sur le coffre qui datait de l'époque de la loge du gardien. Elle a souri du bout des lèvres.

Malgré l'arrivée de M. Deshimaru, il n'y a pas eu de changement dans son attitude. Elle semblait tendue mais pas intimidée, et gardait paisiblement les yeux posés sur la coupe de cacahuètes enrobées de chocolat. Il me semblait qu'elle avait conscience du bon angle d'orientation pour lui montrer la trace sur sa joue.

— Je voudrais vérifier encore une fois si c'est bien un spécimen de la trace de votre brûlure que vous désirez, c'est bien cela ?

Il a sorti une main de sa poche et l'a tendue vers sa joue. Il y avait une certaine distance entre eux, mais son geste était si doux, si plein de tendresse, que j'ai eu l'illusion qu'il caressait discrètement sa cicatrice.

— Oui c'est cela.

Elle était toujours dans la même position.

— Il y a un problème important. Faire un spécimen et guérir une brûlure sont deux choses complètement différentes. Vous en êtes consciente ?

— Bien sûr. Je ne pense pas que le fait de vous en demander un spécimen fera disparaître ma cicatrice. Grâce à l'expérience des champignons, je crois en savoir un peu plus que les gens ordinaires sur le processus. Je veux un spécimen, et rien d'autre.

— D'accord. Dans ces conditions, je peux accéder à votre demande. Après tout, ici, c'est un laboratoire de spécimens, a dit M. Deshimaru. Elle a remis, soulagée, ses cheveux en place.

Sa définition du laboratoire différait légèrement selon le client et l'objet, mais le but était toujours de rassurer le client. Elle n'était ni exagérée ni minimisée, mais énoncée avec calme, sans oublier une certaine compassion.

— Dans ce cas, veuillez me suivre jusqu'au laboratoire.

Et il a passé son bras autour de ses épaules comme s'il enveloppait une chose précieuse et fragile, la forçant à se lever. Elle s'est laissé faire docilement.

— Est-ce que vous allez… au laboratoire ? ai-je murmuré entre mes dents. Il n'a rien répondu. Je n'avais encore jamais visité le sous-sol. Je ne savais pas ce qu'il y avait derrière la lourde porte de chêne au bout du couloir.

— Occupez-vous de remplir le formulaire et de taper l'étiquette, a-t-il laissé tomber sèchement en se retournant près de la sortie.

Je les ai suivis des yeux alors qu'ils avançaient dans le couloir, jusqu'à ce qu'ils disparaissent derrière la porte de chêne. Je ne voyais que son bras blanc passé autour de ses épaules et qui recouvrait tout, ses cheveux, son dos et sa nuque. Elle appuyait sa joue marquée contre sa poitrine. Ils marchaient lentement tous les deux.

Je me demandais si son attitude avait été aussi prévenante lorsque, dans la salle de bains, il m'avait fait chausser les escarpins. J'ai tapoté le sol du bout du pied en me rappelant ses doigts sur ma jambe. Ensuite, je les ai imaginés passant et repassant sans cesse minutieusement sur la trace de sa joue.

La porte de chêne s'est refermée en grinçant. Sur le bureau, le chocolat des cacahuètes était complètement ramolli.

A la nuit tombée, il pleuvait toujours. Ni plus ni moins que dans la journée. La pluie continuait sur le même rythme avec la régularité d'un métronome.

Tout en attendant la visite de clients éventuels, je ne faisais que me demander quand la jeune femme à la brûlure allait ressortir du laboratoire. J'avais décalé ma chaise pour mieux voir le couloir et, tournée vers la porte de chêne, j'avais l'oreille aux aguets.

Pendant tout ce temps, plusieurs clients sont venus. Un beau jeune homme avec un couteau à cran d'arrêt de fabrication allemande, une femme outrageusement maquillée avec une concrétion de parfum dans une boîte à pilules, un vieil homme avec les os d'un moineau de Java.

Je devais être déconcentrée, car j'ai fait plusieurs bêtises. J'ai laissé tomber le couvercle de la boîte à pilules, fait des fautes de frappe, renversé du café sur les formulaires. Mais les clients ont gardé le sourire et m'ont gentiment excusée.

Le vieil homme qui est arrivé en dernier était vêtu d'une tenue de travail grise et portait un sac de toile pas très propre à la main. En s'asseyant, il a retourné le sac sans rien dire, éparpillant son contenu sur le bureau.

— Qu'est-ce que c'est ? ai-je questionné.

— Les os d'un moineau de Java, a-t-il répondu d'une voix éraillée. Nous avons vécu ensemble près de dix ans et il est mort avant-hier. De vieillesse. C'est la vie, on n'y peut rien. Je l'ai fait incinérer. Il reste les os.

Il désignait le dessus du bureau de son gros doigt tout taché.

Les os, blancs et fins, étaient jolis. Légèrement recourbés, pointus à leur extrémité, tous différents. Avec une chaîne, ils auraient pu faire un beau pendentif. J'en ai pris un pour voir. Il était extraordinairement léger, avec de fines aspérités.

— Alors, vous voulez bien en faire un spécimen ?

Il a sorti une serviette de sa poche pour essuyer les gouttes de pluie sur son front et ses cheveux.

— Mais oui, bien sûr.

— Vous me rendez un fier service. J'aurais bien voulu les enterrer, mais je vis en appartement et je n'ai pas de jardin. Quant à les abandonner à la mer, c'est bien pour une mouette ou un goéland, mais il s'agit d'un moineau de Java, vous comprenez. C'est malheureux, n'est-ce pas ? J'ai fait des pieds et des mains pour l'amener jusqu'ici. Si on peut en faire un spécimen, il pourra enfin reposer en paix.

Pendant qu'il parlait, je n'ai pas oublié de jeter des coups d'œil au couloir à travers la vitre.

— Dites donc, mademoiselle, vous avez de bien belles chaussures, a-t-il remarqué en agitant sa serviette.

— Vous trouvez ?

J'ai regardé mes pieds, un peu désorientée par cette soudaine histoire de chaussures.

— Ces temps-ci, on en trouve difficilement d'aussi bien. Elles sont nettes, sans coquetterie, et semblent avoir beaucoup de volonté. Mais, avant tout, elles vous vont parfaitement. On dirait que vous êtes née avec.

— Vous en savez des choses sur les chaussures.

— Vous pouvez le dire. Ça fait cinquante ans que j'exerce le métier de cireur. Il me suffit d'un coup d'œil pour connaître la matière, le prix, l'époque, le fabricant, tout. Mais celles-ci, c'est autre chose. Elles sont d'un type que je n'ai pratiquement jamais rencontré en cinquante ans.

Le vieil homme a bouchonné ensemble le sac de toile et la serviette avant de les enfoncer dans sa poche.

— Je vais vous donner un conseil. Elles ont beau être très confortables, je ne crois pas que ce soit une bonne chose de les porter tout le temps.

— Pourquoi ?

— Parce qu'elles vous vont trop bien. Ça fait presque peur à voir. Il n'y a pas assez de décalage. Ne voyez-vous pas qu'il n'y a pratiquement pas d'intervalle entre votre pied et la chaussure ? C'est la preuve qu'elles sont en train de prendre possession de vos pieds.

— Possession ?

— Oui, exactement. C'est très rare de tomber sur des chaussures pareilles. Qui s'emparent de vos pieds. Il m'est arrivé une seule fois, il y a quarante-deux ans, de cirer des chaussures du même type. C'est pour cela que je le sais. Ne le prenez pas en mauvaise part. Vous feriez mieux de ne pas les porter plus d'une fois par semaine. Sinon, mademoiselle, vous risquez de perdre vos pieds.

Il a fait rouler sur le bureau les os du moineau de Java.

— Quelle était la personne qui portait ces chaussures il y a quarante-deux ans ? lui ai-je demandé.

— Un soldat. Il s'agissait de son pied droit.

Les os produisaient un son sec en roulant. Le cordon du sac qui dépassait de sa poche oscillait. Je donnais des petits coups du bout du pied sur le ruban noir.

— Enfin, je me mêle sans doute de ce qui ne me regarde pas. Oubliez ce que je viens de vous dire. Il faut toujours que je me soucie des pieds des gens, par réflexe professionnel. Mais si vous voulez, je serai très heureux de cirer vos chaussures un jour ou l'autre. Je me tiens sous le passage piétonnier du troisième bloc de l'avenue. J'emploierai une crème spéciale, vous verrez comme elles brilleront.

Il s'est levé.

— Je vous remercie, lui ai-je dit.

— De rien. Je compte sur vous pour le spécimen.

— Oui. Vous pouvez nous faire confiance.

— Alors à bientôt.

Il est sorti sur un signe de la main. Il n'a laissé derrière lui qu'une imperceptible odeur de cirage.

La sirène de cinq heures a retenti peu après son départ. La porte du laboratoire était toujours aussi tranquille. J'ai fermé la réception, suis sortie dans le couloir, ai tendu l'oreille. Mais je n'ai perçu que le bruit de la pluie.

Debout devant cette porte que je n'avais jamais ouverte, j'ai posé la main sur la poignée, mais elle n'avait pas l'air de vouloir tourner. Elle semblait fermée à double tour. Je n'ai pas pu faire autrement que coller mon oreille à la porte, les yeux fermés.

De l'autre côté régnait la paix d'une forêt profonde. Tout était silencieux, seul le calme tourbillonnait. Longtemps j'en ai écouté la rumeur. Mais j'avais beau attendre, il ne se passait rien.

V

Depuis, je n'ai pas revu la jeune fille à la brûlure. Ce jour-là, j'ai attendu devant la porte jusqu'à ce que, la pluie s'étant arrêtée, la lune fasse une vague apparition, mais ni la jeune fille ni M. Deshimaru ne se sont montrés.

Quand je suis arrivée le lendemain matin, M. Deshimaru était comme d'habitude à la réception en train de jeter un coup d'œil aux formulaires en buvant son café. Rien n'avait changé. Je l'ai salué, il m'a fait un signe de la main en m'interpellant. Puis il a lavé sa tasse dans la cuisine, s'est avancé sans bruit dans le long couloir, a disparu de l'autre côté de la porte du laboratoire. Il n'a pas dit une parole au sujet de la jeune fille.

J'ai réalisé soudain que le parapluie à motifs de petits chiens avait disparu. L'endroit du sol où il avait été déposé était complètement sec.

Une semaine plus tard, j'ai profité d'un trou dans mon emploi du temps pour faire le tour de toutes les pièces, à la recherche du spécimen de la brûlure.

D'abord la 303. Puisqu'elle était utilisée depuis peu comme salle de conservation, elle n'en contenait pas encore beaucoup. Seul un cinquième des tiroirs du meuble qui occupait l'espace était rempli. C'est pour cela que je n'ai pas mis longtemps à comprendre que le spécimen de la brûlure n'y était pas.

Les tiroirs, munis d'une petite poignée constituée d'une bille de verre, se succédaient à intervalles réguliers. Les tubes qui ne rentraient pas dans ces tiroirs étaient rangés dans un autre meuble accroché au mur du coin cuisine.

J'ai tiré sur la poignée du tiroir que je pensais avoir été utilisé le plus récemment. Il contenait le spécimen des os du moineau de Java. Ils flottaient dans le liquide de conservation. Je l'ai refermé sans bruit.

J'ai ouvert tous les tiroirs de la 303, mais je n'ai pas trouvé trace de la brûlure. J'ai décidé par précaution de vérifier les salles de conservation plus anciennes.

Plus je remontais les pièces par ordre de numérotation décroissant, plus les poignées des tiroirs, les étiquettes des tubes, les spécimens et l'atmosphère qui y régnait étaient vieux. En marchant entre les meubles, j'avais l'impression que le temps accumulé s'élevait sous mes pas en tourbillonnant comme de la poudreuse.

Puisque les meubles obturaient la fenêtre, les pièces étaient plongées dans la pénombre même dans la journée. Quand j'allumais l'électricité, la lumière du plafonnier colorait l'air sombre en orange.

J'ouvrais les tiroirs avec énergie. Ils étaient vieux et coulissaient difficilement, en grinçant. Les spécimens qui s'y trouvaient n'étaient pas tellement différents des plus récents. Simplement, le verre des tubes était plus épais, tandis que le liquide de conservation avait pris une teinte plus foncée.

Il y avait toutes sortes de spécimens. Bulbe de jacinthe, anneaux magiques, encrier, parure de cheveux, carapace de tortue verte ou fixe-chaussettes y dormaient. Personne n'y avait touché depuis longtemps et ils semblaient avoir été oubliés dans leur coin. Quand j'ouvrais le tiroir, ils tremblaient, comme effrayés, au fond du liquide.

Les vieilles salles avaient une drôle d'odeur. Une odeur nouvelle, comme je n'en avais jamais senti auparavant, mais qui n'était pas désagréable. Comme un subtil mélange de particules du passé qui se seraient échappées des spécimens dans lesquels elles auraient été emprisonnées. Cette odeur saturait ma poitrine à chaque profonde inspiration.

Devant les nombreux tiroirs, je me demandais ce que pouvait être le spécimen d'une brûlure. Les doigts de la main gauche de M. Deshimaru tenaient la joue intacte, tandis que ceux de sa main droite suivaient consciencieusement les contours de la brûlure, à la recherche de la cicatrice. Quand il la trouvait, il la saisissait délicatement entre le pouce et l'index, et commençait à la décoller doucement, en faisant attention à ne pas la déchirer. Il ne s'énervait pas lorsqu'elle restait accrochée et menaçait de s'arracher. Ils étaient si proches l'un de l'autre que son souffle réchauffait sa joue. Elle avait les yeux fermés, et ses paupières se contractaient de temps à autre.

La brûlure une fois détachée de sa joue avait-elle, comme les autres spécimens, coulé au fond du liquide de conservation ? Evidemment, c'était à n'en pas douter quelque chose d'aussi fin, transparent et délicat qu'un morceau de voile ajouré. Et par endroits, il conservait encore les traces du sang qui avait perlé sur sa peau, et qui colorait le liquide en rose. De la même manière que le morceau de mon annulaire avait teinté la limonade…

J'ai vérifié tous les spécimens sans exception en me représentant la scène. Mais j'avais le pressentiment que je pouvais toujours le faire, je ne trouverais sans doute pas la chose que je désirais le plus. Il n'y avait là que de simples spécimens, tout ce qu'il y a de plus banal.

J'ai fini par renoncer et me suis assise sur le sol. Les rubans de mes chaussures étaient couverts de poussière. J'étais plus affectée par ma propre imagination concernant ce que M. Deshimaru avait pu lui faire et où il l'avait mise que par le fait que je ne trouvais pas le spécimen de la brûlure. J'ai perçu le son triste du piano. Les vieux doigts de la dame du 309 donnaient des accents de tristesse à n'importe quel morceau. J'ai soupiré.

Même après la disparition du parapluie de la jeune fille – il se pouvait aussi qu'elle fût rentrée chez elle par une sortie dont je ne soupçonnais pas l'existence – il n'y a pas eu de changement dans notre vie quotidienne, à M. Deshimaru et à moi. Les clients se présentaient sans interruption et repartaient après avoir laissé leur objet à naturaliser. Les tiroirs des salles de conservation se remplissaient les uns après les autres.

Et de temps en temps, il m'invitait dans la salle de bains où je ne tardais pas à me retrouver en escarpins.

Un jour que l'automne était déjà bien entamé, la sirène de cinq heures ayant retenti, il est remonté du sous-sol comme d'habitude. Il s'est servi un café, a vérifié les objets de la journée d'un air tranquille, et tout en regardant les feuilles mortes voltiger dans le jardin, a dit en s'adressant à lui-même qu'il allait falloir installer le poêle. De mon côté, j'ai procédé en silence au rangement habituel. J'ai fixé au tableau avec des aimants l'emploi du temps du lendemain, rangé les papiers importants dans le tiroir que j'ai fermé à clef, débranché la bouilloire électrique.

J'avais toujours le cœur battant quand je me mettais à ranger. Car c'était à ce moment-là qu'il décidait si oui ou non il m'emmenait dans la salle de bains. Soit il me disait bonsoir et partait, soit il posait sa grande main sur mon dos pour me pousser vers le couloir.

Tout en rangeant, je guettais nerveusement ses moindres gestes. Je n'ai jamais refusé ses invitations. Sa main m'emprisonnait au point que j'étais incapable de m'y opposer. Inversement, je ne pouvais pas non plus prendre l'initiative de l'invitation. Parce que son "Bonsoir" tombait d'une manière par trop détachée.

Ce jour-là, à cause d'un technicien venu faire la vérification de la machine à écrire, la casse était restée sur le bureau. Tout en la soulevant pour la remettre en place, je me suis demandé avec inquiétude s'il avait oui ou non l'intention d'aller dans la salle de bains. La casse métallique, couleur de plomb, était lourde et découpée en petits casiers carrés de cinq millimètres de côté contenant chacun un caractère différent. Ils s'entrechoquaient au moindre mouvement.

Au moment où j'esquissais une enjambée vers la machine en portant la casse, la jambe de M. Deshimaru a traversé mon champ de vision, j'ai fait un faux pas, laissé tomber la casse. Les caractères se sont éparpillés sur le sol.

Au début, je n'ai pas très bien compris ce qui s'était passé. Cela avait dû faire un bruit effrayant, mais tout était calme au fond de mon oreille. Sur le moment, j'ai essayé de me rappeler pourquoi j'avais lâché la casse que je tenais pourtant si fermement et pourquoi sa jambe était venue se placer devant moi, mais je n'y suis pas arrivée.

Il avait les yeux baissés vers le sol, sa tasse de café à la main. Il ne paraissait ni surpris, ni consterné, ni en colère. Il était calme, comme s'il comptait les caractères en chantonnant.

Mais, en fait, il y en avait un nombre incalculable. C'était comme si tous les mots répertoriés dans le dictionnaire s'étaient retrouvés en vrac sur le sol. Je suis restée un instant immobile, me retrouvant à genoux après ma culbute.

— Il va falloir ramasser, m'a-t-il dit. Il ne parlait pas avec froideur. Il avait plutôt la douceur de celui qui donne un conseil. Il faut les remettre en place, tous sans exception.

Il a donné un coup du bout de sa chaussure sur un caractère à ses pieds. Il a été projeté devant moi. C'était celui de SPLENDIDE.

De toute façon, il fallait bien commencer par l'un d'eux. Tout devait être rangé pour l'arrivée du premier client le lendemain matin. Je l'ai ramassé.

Il s'agissait d'un petit parallélépipède métallique, avec sur la face opposée à celle où était sculpté le caractère un numéro inscrit correspondant aux coordonnées du casier où il devait prendre place. SPLENDIDE était le 56-89. J'ai mis un certain temps à repérer le 56-89 avant de l'y enfoncer. Mais j'avais réussi à en replacer un sur la vaste casse.

Ils avaient volé dans toute la pièce. On aurait dit une multitude d'insectes gris surgis de nulle part qui, tapis dans leur coin, attendaient leur heure. Au milieu de la pièce, la casse, bouche grande ouverte, ressemblait à l'entrée béante d'une grotte. La réception, ordinaire comme d'habitude, en était transfigurée. Le crépuscule flottait entre lui, qui était adossé au mur, et moi, accroupie sur le sol, et le peu de lumière qui restait éclairait violemment les caractères.

J'ai cherché à quatre pattes sous les chaises, sous le coffre, dans les pans du rideau. Il y en avait jusque dans les moindres recoins. SUCRE était recouvert de poussière. AMOUR, NU et FLEUR étaient l'un sur l'autre. CRISTAL, caché derrière la corbeille à papier, était le dernier caractère que j'avais tapé ce jour-là. Pour répertorier le morceau de mica que m'avait apporté un homme mûr en costume fatigué. Je l'ai ramassé en essayant vaguement de retrouver le fil de l'histoire qu'il avait mis une heure à me raconter sur ce mica. Je l'ai saisi avec la main gauche, et il est venu se caler exactement à l'endroit de la partie manquante de mon annulaire. Tous les caractères étaient froids.

M. Deshimaru me toisait, les bras croisés. Il n'a pas fait un geste pour ramasser un caractère ou le glisser dans un casier, il s'est contenté de garder les yeux sur mes genoux repliés, mes escarpins que même dans cette position je n'ai pas quittés, et le bord de ma jupe qui balayait le sol. Son regard contrôlait l'ensemble de la pièce.

Mes genoux ont commencé à me faire mal. J'avais des fourmis dans les mains, des étoiles devant les yeux. Pendant un certain temps, il n'y a pas eu de changement. Il m'observait, je crapahutais, et c'est tout. Je me suis surprise à espérer, une seule fois, lorsqu'il a tendu la main pour allumer l'électricité dans la pièce, croyant que cela pouvait modifier un peu cette scène abstraite, mais dès que mon regard s'est habitué à la lumière, tout est redevenu comme avant.

Autour de lui aussi restaient beaucoup de caractères. J'avais l'impression d'être comme un petit animal sans défense à ses pieds. Je me suis demandé si j'allais continuer à les ramasser sans m'interrompre quoi qu'il arrive, me contentant de pousser des petits cris plaintifs si d'aventure il décidait de m'écraser les doigts ou de me donner des coups de pied dans le dos. Mais, en réalité, ses pieds n'ont pas bougé d'un pouce.

C'était la première fois que je voyais ses chaussures d'aussi près. Elles étaient aussi irréprochables que celles qu'il m'avait offertes. Elles lui enveloppaient parfaitement les pieds. Elles n'avaient aucune éraflure, aucune salissure. Je me suis demandé ce qu'aurait dit en les voyant le vieil homme aux os du moineau de Java.

Il faisait maintenant complètement noir, et la lune était haut dans le ciel. Dans le jardin, le ginkgo, les pots de fleurs et une pelle stagnaient au fond des ténèbres. La dame du 309 et celle du 223 devaient dormir car il n'y avait pas un bruit au-dessus. Tout se passait en silence. Ma silhouette se reflétait sur la vitre. Je donnais l'impression de déposer un baiser sur ses chaussures.

Je me demande combien de temps s'est écoulé ainsi. La nuit est devenue de plus en plus profonde, puis lorsqu'elle est arrivée au bout, elle est repartie en sens inverse, s'éclaircissant peu à peu. Les oiseaux ont commencé à chanter, la bicyclette du livreur de journaux est passée. La lune n'allait pas tarder à disparaître. J'ai glissé le dernier caractère – il s'agissait de RIVAGE, un mot calme et beau convenant parfaitement à la fin de ce long travail – dans le 23-78.

Après m'être assurée qu'il retrouvait sa place dans la casse avec un petit bruit sec, je me suis étendue sur le sol, épuisée.

— C'est fini, n'est-ce pas ?

Il a enfin cessé de me surveiller, pour s'approcher de moi.

— Ils ont tous retrouvé leur place.

Sa voix résonnait à travers la pièce restée longtemps silencieuse. Je n'avais même pas la force de lui répondre. Mon corps, sous l'emprise de son regard, était incapable de bouger. J'ai fermé les yeux. Mes paupières étaient sans doute les seules à bénéficier de liberté.

Il s'est agenouillé près de mon oreille, a enlacé mes épaules. Ses grands bras tièdes étaient agréables. Etre emprisonnée à l'intérieur était plutôt bien et rassurant. Car je n'avais plus qu'à le laisser faire, sans penser à rien.

— C'est la première fois que je reste autant de temps avec toi, n'est-ce pas ? a-t-il dit. C'était une réflexion d'une gentillesse disproportionnée à la difficulté de la tâche que je venais d'accomplir.

— Est-ce que c'est déjà le matin ? ai-je répondu, les yeux toujours fermés.

— Oui, c'est le matin.

— Ah…

— Tu as travaillé toute la nuit pour moi.

— On est arrivés ensemble jusqu'au matin.

— Il va faire beau aujourd'hui encore. Parce qu'il y a de la brume.

Nous avions la même conversation que si nous étions au lit. Mais nous ne nous étions jamais retrouvés dans un véritable lit.

Malgré mes yeux fermés, j'ai senti l'arrivée des rayons du soleil. L'une des deux dames était réveillée, car on entendait des bruits de pas et de tuyauteries.

— Le premier client du matin ne va peut-être pas tarder à arriver ?

— Non, sois tranquille. Nous avons encore du temps devant nous.

— Je me demande qui ça va être et ce qu'il va bien pouvoir nous apporter, ai-je dit, le visage collé à sa blouse blanche. Elle avait toujours la même odeur de produit chimique.

— Ça, nul ne le sait.

— Ce serait bien si on n'avait pas trop de travail.

— Pourquoi ?

— Mais parce que nous n'avons pas dormi.

— Tu as raison.

Il a pris ma main gauche raidie par l'engourdissement.

— Dis-moi, à propos de la jeune fille de l'autre jour, celle qui voulait un spécimen de sa brûlure, où est-il ?

J'étais plus bavarde que d'habitude quand j'étais dans ses bras, car je ne voyais pas son visage.

— Pourquoi me demandes-tu ça ?

— Parce que c'est elle qui a commandé le spécimen de champignons, le premier que tu m'as montré, et en plus sa joue m'a fait une forte impression.

— Il est dans le laboratoire au sous-sol.

— Pourquoi n'est-il pas dans une salle de conservation ?

— Il n'y a pas de raison particulière. Tous les spécimens qui sont ici m'ont été confiés. Personne n'a le droit d'intervenir. Même pas toi.

— Je n'en ai pas l'intention. J'avais seulement envie de voir sa joue. C'est tout, ai-je répliqué.

Il n'a rien répondu, s'est contenté de jouer avec ma main gauche. Son souffle a effleuré mes sourcils.

— Emmène-moi dans le laboratoire.

Il gardait encore le silence. Il semblait chercher ses mots, à moins qu'il ne pensât à quelque chose de complètement différent.

— Je suis le seul à pouvoir y entrer, a-t-il lâché soudain.

— La jeune fille à la brûlure y est bien allée, elle.

— Oui, mais c'était pour son spécimen. Ici, les spécimens ont la priorité.

— Alors moi aussi je pourrai descendre avec toi au sous-sol si je demande un spécimen inséparable de moi ?

— Ah.

— Moi aussi je peux devenir l'un des spécimens qui te sont confiés ?

Pour toute réponse, il a redressé l'annulaire de ma main gauche. J'ai ouvert les yeux. J'avais la sensation que mon doigt se détachait lentement du reste de mon corps. Ce doigt qui aurait dû m'être familier me semblait difforme dans le soleil matinal éclairant la réception. Il l'a glissé dans sa bouche.

Il a fallu quelques secondes pour que le bout de mon doigt sente la douceur de ses lèvres. Je l'ai laissé faire.

Quand il a retiré ses lèvres, mon annulaire était mouillé. Le bout manquait, comme si c'était lui qui l'avait croqué.

VI

L'hiver est tout de suite venu. La dame du 309, à cause du froid je suppose, jouait de moins en moins du piano, et celle du 223 m'a offert un châle qu'elle avait tricoté. Il était en mohair, avec des fleurs.

Un matin que le temps s'était encore refroidi, la dame du 223 est venue me dire au moment où j'allais me mettre au travail :

— Vous avez encore un peu de temps, n'est-ce pas ? Vous ne voulez pas passer chez moi ?

C'était la première fois que j'entrais au 223, plus vaste que le 309, dans la mesure où il n'y avait pas de piano et qu'en plus il était en ordre. Simplement, le moindre espace était décoré d'ouvrages. Les poignées étaient recouvertes de housses au crochet, la couverture de la table chauffante était en patchwork, il y avait des paysages brodés sur les murs, un chat en peluche sur la commode, et d'autres choses du même genre un peu partout.

Elle a sorti le châle en disant :

— Tenez, c'est pour vous. Il fait froid dans la loge en bas, avec les courants d'air.

Je l'ai accepté avec gratitude. Ensuite, elle a fait réchauffer une soupe de légumes, en me précisant que c'était le reste de son petit déjeuner.

— Cela fait combien de temps que vous travaillez ici ? m'a-t-elle demandé.

— Un an et quatre mois, ai-je répondu en suspendant le mouvement de ma cuillère.

— Ah, c'est plutôt long alors.

— Vous trouvez ?

— Oui. Cela fait déjà un certain temps que le laboratoire existe, et jusqu'à présent la plupart des jeunes filles sont parties en moins d'un an. Enfin, je me demande si le mot partir est exact.

Elle penchait légèrement la tête sur la droite, pensive.

— Que voulez-vous dire ?

— Elles disparaissaient du jour au lendemain. On aurait dit qu'elles s'étaient évaporées. Sans même dire au revoir. Bien sûr, certaines avaient de bonnes raisons de partir. Elles se mariaient, retournaient dans leur famille à la campagne, trouvaient le travail ennuyeux, toutes sortes de raisons, voyez-vous.

Sa voix était éraillée, mais gardait l'énergie du temps où elle était standardiste. J'ai répété intérieurement le mot évaporer, en me rappelant la brûlure de la jeune fille. L'image de sa cicatrice persistant sur ma rétine était si pâle et si délicate qu'elle en était transfigurée. J'ai appuyé du bout de ma cuillère sur le bord d'un morceau de carotte pour le faire descendre au fond.

— Comment était celle qui m'a précédée au bureau ?

— C'était une jeune fille d'à peu près votre âge. Je m'en souviens très bien. Parce que je l'ai aperçue par hasard la veille du jour où elle a disparu. Je sortais pour aller à la mercerie acheter du fil à broder quand je l'ai croisée dans le couloir. Je crois qu'elle ne m'a pas vue. Parce que c'était le soir et qu'il faisait sombre. Elle baissait la tête, mais elle n'avait pas l'air grave, comment dire, elle semblait en paix. C'est le bruit de ses chaussures qui m'a le plus frappée. Comme j'étais standardiste, je suis très sensible aux bruits, vous savez. J'ai tout de suite senti qu'il s'agissait d'un bruit lourd de signification, que l'on ne pouvait pas laisser passer avec légèreté. Cela ne signifie pas qu'il était fort. Il tenait plus du murmure ou du chuchotement. Je n'ai rien entendu d'autre. Il y avait seulement ce petit bruit de talons, net et régulier. Je n'avais jamais remarqué un tel bruit auparavant. Elle caressait les coutures du patchwork qui recouvrait la table chauffante. C'est le lendemain, voyez-vous, qu'elle a disparu.

— Vous vous souvenez des chaussures qu'elle portait ? ai-je questionné, la cuillère à la main, en oubliant de manger.

— Justement, non. Je n'ai pas vu parce qu'il faisait sombre et que j'étais concentrée sur le bruit.

— Ah bon ?… J'ai baissé les yeux sur mon assiette. Où allait-elle ?

— Au sous-sol, a-t-elle répliqué sans hésitation. C'est comme ce M. Deshimaru, on ne sait pas très bien qui il est. Peut-être finit-on par devenir ainsi à force de passer son temps enfermé dans un sous-sol à préparer des spécimens. Vous, en tout cas, j'espère que vous ne disparaîtrez pas aussi soudainement. Revenez me voir quand vous en aurez envie. Je vous apprendrai la couture.

Elle a eu un sourire candide.

— Oui. Je vous remercie beaucoup pour ce châle magnifique.

Sa voix répliquant "au sous-sol", la brûlure sur la joue et le bruit des talons dans le couloir se mêlaient pour former un tourbillon au fond de moi.

Lorsque la bise s'est mise à souffler, apportant des tourbillons de neige, le nombre de clients a encore diminué. Peut-être qu'en hiver le passé que l'on veut garder gèle lui aussi, ce qui fait que l'on a moins besoin de le faire naturaliser.

C'est par une de ces journées que la dame du 309 est décédée brutalement. Celle du 223 l'a découverte inanimée dans son lit en début d'après-midi, alors qu'elle venait la voir, lui apportant des clémentines. Lorsque M. Deshimaru et moi nous nous sommes précipités en l'entendant crier, nous en avons retrouvé plusieurs qui avaient roulé sur le sol.

La dame du 309 était allongée sur le dos, le corps bien droit, la couverture remontée jusqu'aux épaules. Elle avait les yeux fermés, ne semblait pas avoir souffert. C'était une fin toute simple, comme si le temps s'était arrêté soudain uniquement autour d'elle pendant son sommeil. Il y avait à son chevet un médicament en poudre qu'elle avait sans doute pris la veille, et un verre où il restait encore un peu d'eau. Le couvercle du piano était ouvert. J'ai aidé la dame du 223 qui tremblait, assise sur le sol, à se relever, puis j'ai remis les clémentines dans le panier en osier qu'elle avait sous le bras. M. Deshimaru a arrangé proprement la couverture avant d'abaisser le couvercle du piano.

Pour les funérailles, on a sorti la table de ping-pong de la pièce qui servait de salle de jeux à l'époque du foyer de jeunes filles. Elle n'avait pas de famille, si bien que nous nous sommes retrouvés tous les trois, la dame du 223, M. Deshimaru et moi, pour une cérémonie intime. On a croisé sur sa poitrine ses doigts qui avaient joué tant de morceaux, tandis que ses cheveux blancs disparaissaient sous les fleurs.

Nous nous sommes torturé l'esprit pour savoir quoi faire de ses affaires. Pas à cause des objets de valeur, mais parce que nous nous demandions comment une pièce aussi petite avait pu contenir autant de choses.

Finalement, nous avons décidé de faire ensemble le tri de ses affaires. Nous nous sommes d'abord réparti ce qui pouvait nous être utile – même si, du fait qu'il n'y avait pas grand-chose qui nous convenait à M. Deshimaru et moi, les vêtements et les produits de maquillage sont presque tous revenus à la dame du 223 – avant de déménager le piano dans le hall d'entrée et de nous débarrasser du reste. Simplement, concernant les objets que nous pensions lui avoir été précieux au cours de sa vie – une dizaine en tout comme des photographies, le métronome ou la couverture du piano –, nous avons décidé de les garder et de les naturaliser. Nous étions inquiets à l'idée de devoir prendre la responsabilité de ce choix, mais c'est la dame du 223 qui nous l'a proposé, dans la mesure où il y avait le laboratoire. D'ailleurs, M. Deshimaru ne s'y est pas opposé. C'est ainsi que la décision a été prise de fabriquer des spécimens qui n'avaient pas de demandeur.

Le reste des formalités s'est déroulé sans problème. Le 309 a été vidé et fermé à clef en attendant sa transformation prochaine en salle de conservation.

Cette seule disparition, même s'il s'agissait d'une paisible vieille dame qui se contentait de jouer du piano, a contribué à donner encore plus d'épaisseur au calme du laboratoire. Celle du 223 semblait continuer ses ouvrages sans faire de bruit, tandis que rien ne filtrait à travers la lourde porte de ce qui se passait dans le laboratoire au sous-sol. Il m'est arrivé, alors que j'attendais les clients seule à la réception, de me retrouver sur le point d'être aspirée par le tourbillon de calme.

Ce jour-là fut encore plus triste que d'habitude, personne ne venant frapper à la porte d'entrée et le téléphone ne sonnant pas une seule fois de toute la matinée. Ces derniers temps, M. Deshimaru restait cloîtré dans son laboratoire, malgré la diminution du nombre de demandeurs faisant qu'il n'y avait plus rien à naturaliser. Après avoir tué le temps de toutes sortes de manières, à huiler la machine à écrire, tailler les crayons, ranger les cartes de visite et les lettres, ou encore récurer les tasses en verre, je n'ai rien eu d'autre à faire que de rester là, rêveuse, à écouter le ronronnement du poêle.

Il était plus de quatre heures de l'après-midi, j'étais tellement lasse que je suis sortie me promener. Normalement, je ne suis pas censée le faire, mais j'étais certaine qu'aucun client ne viendrait plus par cette soirée froide et nuageuse et je voulais absolument respirer l'air du dehors.

Il y avait beaucoup de vent. L'avenue était encombrée et les voitures commençaient çà et là à allumer leurs veilleuses. Les feuilles mortes voltigeaient sur le trottoir. Les passants marchaient vite, la tête baissée.

Mes escarpins, comme l'avait prédit le vieil homme au moineau de Java, adhéraient maintenant presque complètement à mes pieds, et leur martèlement sur le trottoir se répercutait à l'intérieur de mes talons. Il me fallait du courage pour les enlever dans l'entrée lorsque je rentrais à la maison. J'avais toujours un moment d'hésitation quand je posais la main dessus, car j'éprouvais à les quitter une sensation douloureuse, comme si on m'arrachait la peau.

Les nuages gris chevauchaient le ciel en direction de l'ouest. De temps à autre, un coup de vent soulevait mes cheveux et ma jupe. J'ai resserré le châle de mohair autour de mon cou.

Au bout d'un quart d'heure de marche, je suis arrivée au croisement du troisième bloc. J'étais à un carrefour très fréquenté, avec des immeubles de bureaux, un poste de police et une librairie. J'ai jeté un coup d'œil sous la passerelle pour piétons qui le franchissait.

— Bonjour.

Le vieil homme au moineau de Java, dans la même tenue que la dernière fois, fumait une cigarette.

— Quelle surprise ! Vous êtes bien la jeune femme du laboratoire ?

Il a vite jeté sa cigarette dans la boîte de conserve vide posée à ses pieds.

— Je suis venue sur la foi de votre promesse d'employer une crème spéciale pour mes escarpins.

— Ah bon, vous êtes là exprès ? Tenez, asseyez-vous ici.

J'ai pris place sur une vieille chaise tubulaire.

— Comment va le spécimen de mon moineau de Java depuis la dernière fois ? m'a-t-il demandé en préparant son matériel.

— Nous le conservons précieusement au 303. Les os sont une matière qui convient parfaitement à la naturalisation. Leur blancheur et leur douceur se remarquent encore plus dans le liquide de conservation, vous savez. Vous pouvez venir le voir quand vous voulez.

— Ah, je vous remercie.

Il semblait porter beaucoup plus d'attention à son travail de cireur de chaussures qu'à son spécimen, même si c'était lui qui en avait parlé le premier.

— Oh, c'est bien ce que je pensais, a-t-il grogné en voyant mon pied posé sur sa boîte. Ce ne sont pas des escarpins ordinaires. La dégradation a progressé depuis la dernière fois.

— C'est vrai ?

— Sans aucun doute. Vos pieds sont presque entièrement absorbés par la chaussure. Il se passe la même chose que pour celles du soldat que j'ai rencontré ici même il y a quarante-deux ans. Tomber sur de telles chaussures est un véritable bonheur pour un cireur. En tout cas, je vais vous les cirer.

Il s'est mis à la tâche.

De chaque côté de lui se trouvait une boîte en bois semblable à une boîte de peinture, qui contenaient son matériel : marteau, arrache-clou, lime, cirages de toutes les couleurs et autres brosses, rangés de manière à prendre le moins de place possible. Celui-ci portait des traces d'utilisation prolongée.

En plus de ses outils de travail, il avait une petite radio qui ressemblait à un jouet. Elle diffusait des chansons, couvertes de temps en temps par le bruit des voitures.

Sous le passage pour piétons, il y avait moins de vent, mais il faisait froid à cause du béton. A chaque fois que quelqu'un montait ou descendait les escaliers, cela faisait du bruit au-dessus de nos têtes. Une bicyclette dépourvue de selle était abandonnée dans un coin.

Le vieil homme a d'abord enlevé la poussière à coups de brosse, puis a mis de la crème transparente sur un chiffon qui pendait jusqu'alors à sa ceinture et a commencé à l'étaler. Ses doigts tout tachés bougeaient rapidement et avec efficacité, sans malmener mes escarpins. Il mettait tout son cœur dans le moindre geste, comme celui de suivre le contour arrondi du bout du pied ou soulever le ruban. J'avais l'impression de sentir ses mains caresser mes pieds à travers le cuir.

— Est-ce la crème spéciale ? ai-je demandé.

— Non, il faut d'abord utiliser cette crème nettoyante. Mais elles sont très agréables à cirer. Elles répondent bien à la bonne volonté que je leur témoigne.

— Parce que la bonne volonté ça marche avec des chaussures ?

— Bien sûr, il peut y avoir de la bonne ou de la mauvaise volonté. Vous devez le savoir, vous qui vous occupez de spécimens. C'est une question d'échange entre les choses.

— Oui, ai-je acquiescé.

Pendant tout ce temps, le vieil homme ne s'est pas interrompu. Il continuait à caresser partout mes escarpins avec son chiffon qui avait l'air si doux, le regard à l'affût pour ne pas laisser passer la moindre saleté. De temps en temps, il rajoutait de la crème ou repliait son chiffon.

— Mais dites-moi, mademoiselle, vous avez l'intention de continuer comme ça ? a-t-il demandé sur un ton différent.

— Que voulez-vous dire ?

— Que si vous voulez enlever vos chaussures, c'est maintenant ou jamais.

Il pointait mes escarpins avec son menton. A la radio, la chanson tremblait avec le vent.

— Vous croyez que je ferais mieux de les enlever ?

— Ce n'est pas à moi de prendre la décision à votre place, je dis seulement que vous devriez en finir avec elles avant qu'il ne soit trop tard.

— Vous avez peut-être raison… ai-je bredouillé en regardant mes pieds devenus impeccables.

— La voilà, ma crème spéciale. Elle va les protéger de la pluie, de la poussière et des éraflures. Et vous allez voir, elles vont briller comme un joyau.

Le vieil homme avait sorti une boîte plate en métal argenté d'un coin de sa boîte, qu'il ouvrait adroitement d'un coup de spatule. Le métal de la boîte était rouillé et terni par les gaz d'échappement, mais la crème noire qu'elle contenait brillait comme si elle était mouillée. Il l'a étalée uniformément avec soin.

— Ces escarpins vous ont été offerts par quelqu'un ?

— C'est exact. Comment l'avez-vous su ?

— J'ai ciré un nombre incalculable de chaussures jusqu'à maintenant. Je le sais tout de suite. Et vous êtes amoureuse de lui ?

Ne sachant quoi répondre, j'ai baissé la tête et tripoté la bordure de mon châle. La crème spéciale, étalée sur toute la surface de la chaussure, était en train d'être absorbée par le cuir. Mon corps était complètement gelé, mais grâce à la crème et à ses mains mes pieds étaient tièdes.

— Justement, je me le demande. Je ne le sais pas très bien, car jusqu'à présent je n'ai jamais eu de relation avec quelqu'un à qui j'aurais pu donner le nom d'amoureux. Je suis seulement sûre du sentiment et de la situation qui font que je n'arrive pas à le quitter. Si je désire être près de lui, ce n'est pas par facilité, je suis liée à lui d'une manière beaucoup plus essentielle et radicale.

— Ah. Je ne comprends pas les choses difficiles, mais en tout cas, c'est à cause de vos chaussures. Les chaussures et lui sont liés. Tout ce que je puis dire, c'est que si vous n'enlevez pas tout de suite ces chaussures, vous ne pourrez jamais vous échapper. Ces chaussures ne vous apporteront jamais la liberté.

Plus la main du vieil homme bougeait, plus les escarpins brillaient. Mes pieds sentaient tous les mouvements de ses doigts. Le soir descendait sur la ville et les lampadaires s'allumaient. Une ambulance a traversé le carrefour. Je ne m'étais pas aperçue que la radio diffusait maintenant un concerto pour piano.

— Je me mêle peut-être de ce qui ne me regarde pas, mais pourquoi ne feriez-vous pas un spécimen de ces chaussures ? a-t-il suggéré. Il aurait certainement bien plus de valeur que celui de mon moineau de Java, d'ailleurs, en faire un spécimen ne revient-il pas à l'enfermer pour toujours à l'intérieur de soi ? C'est bien ce que vous m'avez expliqué au laboratoire, n'est-ce pas ?

J'ai acquiescé.

— Dans ce cas, vos pieds, mademoiselle, seraient libérés. Vous pourriez faire vôtres ces chaussures.

Sa tête, avec ses cheveux blancs coupés court, se balançait au niveau de mes genoux. Nous sommes restés un moment silencieux, à écouter le frottement du chiffon sur mes escarpins. Des gens chaussés d'une manière tout à fait ordinaire passaient non loin, mais personne ne faisait attention à nous.

— C'est que je n'ai pas l'intention de les enlever, ai-je murmuré après un long silence. Je n'ai pas envie d'être libre. Je voudrais qu'il m'enferme avec dans le laboratoire.

— Ah bon, c'est ça que vous voulez ? Alors je n'insiste pas. Sa voix était gentille. Voilà, ça y est. Elles sont parfaites.

Pour finir, il a refait le nœud des rubans avant de les prendre tendrement entre ses doigts noueux. Seuls mes pieds brillaient avec arrogance sous le passage piétonnier où tout, boîtes, béton, tenue de travail, était avalé par l'obscurité.

— Je vous remercie beaucoup de les avoir cirées avec tant de soin.

— De rien, voyons. Ah, mais je ne veux pas être payé. C'est un honneur pour moi que vous m'ayez demandé de le faire, s'est-il exclamé en me retenant au moment où j'allais sortir mon portefeuille de ma poche.

— Je vous remercie pour tout.

— Vous allez vraiment retourner au laboratoire ?

— Oui.

— Bon. Alors je ne vous reverrai plus. Portez-vous bien.

— Vous aussi.

— Hum.

— Au revoir.

Je l'ai quitté en me retournant plusieurs fois pour lui faire signe de la main. Le flot des passants n'a pas tardé à le faire disparaître à ma vue. Seule la chaleur de ses mains restait indéfiniment sur mes pieds.

Il était plus de cinq heures quand je suis revenue au laboratoire. M. Deshimaru ne semblait pas encore remonté du sous-sol, la réception était plongée dans l'obscurité et il y faisait très froid. J'ai branché le chauffage électrique, enlevé mon châle. Le matériel pour écrire, le registre et la machine à écrire étaient au même endroit qu'avant mon départ. J'ai ouvert le tiroir du bureau par précaution, mais il ne contenait rien de nouveau.

J'ai ouvert le registre, complété les rubriques nécessaires sur une nouvelle page. Date, nom, date de naissance, adresse, numéro de téléphone, profession, et nature du spécimen. L'enregistrement était terminé, c'était presque trop simple. Je n'avais pas besoin des explications que l'on devait fournir à presque tous les clients sur le processus, la forme et la signification des spécimens. Ni de raconter de vieux souvenirs au sujet de l'objet que j'apportais. Je connaissais déjà tout des activités du laboratoire.

Ensuite je me suis assise devant la machine à écrire pour préparer l'étiquette du tube à essai. Comme je n'avais aucune idée de la taille du tube qui serait utilisé, j'ai choisi le type d'étiquette que nous utilisions le plus fréquemment.

Les caractères étaient rangés dans l'ordre, comme si leur éparpillement récent n'avait jamais eu lieu. Ils se sont tous mis à trembler dans leur casier quand j'ai saisi le levier.

D'abord le numéro d'enregistrement. 26-F30999. Ensuite, le nom du spécimen. Annulaire.

L'étiquette à la main, j'ai pris le couloir qui menait à la porte du laboratoire de spécimens. Mes escarpins faisaient un bruit qui résonnait jusqu'au plafond. Je me suis arrêtée en chemin pour observer l'annulaire de ma main gauche à la lumière de la lampe. Il y manquait toujours un morceau en forme de bivalve.

J'ai prié pour que ce doigt qui se reflétait sur le verre du tube à essai soit encore plus frais et plus beau.

Le liquide de conservation devait être tiède et tranquille. Il n'était pas froid et pétillant comme la limonade. Il envelopperait tout, de l'extrémité de l'ongle jusqu'aux sillons des empreintes digitales, tandis que le bouchon de liège le préserverait de la poussière et du bruit du dehors. Et avant tout, la porte du laboratoire était épaisse et lourde. Je pouvais donc me laisser aller en toute sécurité.

Est-ce que M. Deshimaru prendrait soin de mon spécimen ? Je désirais qu'il prenne le tube de temps à autre pour observer mon annulaire flottant. Je baignerais pleinement dans son regard. Ses yeux vus à travers le liquide de conservation seraient certainement encore plus limpides.

J'ai fermé la main pour faire disparaître mon annulaire avant de frapper à la porte du laboratoire.

Retrouvez les livres de Yôko Ogawa
dans la collection Babel.

LA PISCINE
LES ABEILLES
LA GROSSESSE
Romans traduits du japonais
par Rose-Marie Makino-Fayolle

*Ces trois courts romans mettent
en avant des personnages cruelle-
ment naïfs, parfois pervers, et des
situations à l'étrangeté menaçante.*

LE RÉFECTOIRE UN SOIR ET
UNE PISCINE SOUS LA PLUIE
suivi de
UN THÉ QUI NE REFROIDIT PAS

Récits traduits du japonais
par Rose-Marie Makino-Fayolle

*Deux courts récits à l'imaginaire
troublant, hantés de traumatismes
et de rêves, pleins d'une bizarrerie
dont les personnages semblent ne
pas avoir conscience.*

HÔTEL IRIS
Roman traduit du japonais
par Rose-Marie Makino

Dans une station balnéaire, une adolescente tombe amoureuse d'un homme beaucoup plus âgé qu'elle, au passé et à la réputation troubles.

PARFUM DE GLACE
Roman traduit du japonais
par Rose-Marie Makino-Fayolle

Pour comprendre le suicide de son amant, Ryoko se lance dans un long voyage à travers le passé insoupçonné de ce jeune disparu.

UNE PARFAITE CHAMBRE DE
MALADE
suivi de
LA DÉSAGRÉGATION
DU PAPILLON
Nouvelles traduites du japonais
par Rose-Marie Makino-Fayolle

*Deux nouvelles sur le thème de
l'accompagnement mais aussi de
la capacité à survivre à l'absence
d'un être aimé.*

LE MUSÉE DU SILENCE
Roman traduit du japonais
par Rose-Marie Makino-Fayolle

*Embauchée par une vieille fem-
me étrange, un jeune muséogra-
phe assure la conservation d'objets,
de reliques, de vestiges, qui tous
ont été volés quelques heures après
la mort de leur propriétaire.*

LA PETITE PIÈCE HEXAGONALE
Récit traduit du japonais
par Rose-Marie Makino-Fayolle

Suite à une rupture amoureuse, la narratrice de ce récit est mystérieusement attirée vers une étrange armoire hexagonale : la "petite pièce à raconter"…

TRISTES REVANCHES
Nouvelles traduites du japonais
par Rose-Marie Makino-Fayolle

À travers ces nouvelles, des femmes, des enfants et même des… légumes se répondent, reviennent et entremêlent leurs destins pour enfin révéler le personnage de ce livre : l'écrivain et son pouvoir.

AMOURS EN MARGE
Roman traduit du japonais
par Rose-Marie Makino-Fayolle

Une jeune femme croit devenir sourde le matin où son mari la quitte. Depuis, elle perçoit le moindre son avec une intensité démesurée. Elle entend tout, y compris le bourdonnement de sa mémoire dans lequel elle finit par retrouver les traces de son premier amour.

LA FORMULE PRÉFÉRÉE
DU PROFESSEUR
Roman traduit du japonais
par Rose-Marie Makino-Fayolle

Une histoire d'amour et de filiation entre un vieux monsieur mathématicien, un enfant passionné de baseball et sa mère.

LA BÉNÉDICTION INATTENDUE
Récits traduits du japonais
par Rose-Marie Makino-Fayolle

De la fascination d'une conva-
lescente pour le destin d'un petit
champion de natation à l'erreur
d'une romancière se présentant à
son lecteur ; des écrits d'une enfant
solitaire à l'inquiétude d'une mère
pour un chien aux yeux tristes…
Sept récits pour atteindre les rivages
de l'imaginaire.

LES PAUPIÈRES
Nouvelles traduites du japonais
par Rose-Marie Makino-Fayolle

Toutes les histoires, toutes les ren-
contres laissent de petits cristaux
scintillant au creux de nos mé-
moires. Ainsi voyagent à travers le
monde et depuis la nuit des temps
des personnages qui ne meurent
jamais…

LA MARCHE DE MINA
Roman traduit du japonais
par Rose-Marie Makino, avec la
participation de Yukari Kometani
et Yutaka Makino

L'amitié de deux cousines de douze
ans dans le Japon des années 1970.
L'une est passionnée de littérature
et a un père d'origine allemande.
L'autre découvre ainsi l'empreinte
de la lointaine Europe et le regard
si particulier de ceux qui vien-
nent d'ailleurs.

LA MER
Nouvelles traduites du japonais
par Rose-Marie Makino

Un recueil envoûtant où se côtoient
un camion de poussins multico-
lores, des lettres de plomb compa-
rées aux ailes des papillons par un
imprimeur ou le récit d'une ren-
contre entre un petit garçon et un
vieil homme qui invente des titres
pour les histoires...

CRISTALLISATION SECRÈTE
Roman traduit du japonais
par Rose-Marie Makino

*Alors que les choses et les créatures,
les souvenirs et les émotions disparaissent selon un principe d'efface-
ment diaboliquement orchestré, une
jeune romancière tente de sauver
son éditeur des griffes d'une ef-
froyable milice.*

Et chez Actes Sud

LES TENDRES PLAINTES
Roman traduit du japonais
par Rose-Marie Makino
et Yukari Kometani

Ruriko est calligraphe. Fuyant la brûlure des infidélités de son mari, elle part s'installer seule en pleine montagne, dans le chalet de ses parents. Elle rencontre Nitta, pianiste reconverti dans la fabrication de clavecins. L'histoire simple, intense et profonde, d'une femme en crise entre deux amours, entre deux vies.

MANUSCRIT ZÉRO
Traduit du japonais
par Rose-Marie Makino

Manuscrit zéro *est un livre inclassable, où il serait question d'une année dans la vie d'une romancière. Un journal de création sous la forme d'une cristallisation : la cristallisation secrète d'un livre en devenir. Le manuscrit zéro telle la forêt profonde d'où jaillissent les histoires de Yôko Ogawa.*

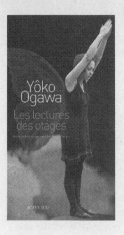

LES LECTURES DES OTAGES
Récits traduits du japonais
par Martin Vergne

*Huit touristes japonais ont été pris
en otages dans une région monta-
gneuse et désolée. Après l'assaut
d'une brigade antiterroriste, la
cabane où ils sont retenus prison-
niers est totalement détruite, il n'y
a aucun survivant. Seul un enregistrement témoigne de leur existence
en ces lieux. Des textes énoncés à
haute voix pour surmonter la peur
et tenter d'échapper à l'ombre béante
de la mort.*

LE PETIT JOUEUR D'ÉCHECS
Roman traduit du japonais
par Martin Vergne

*Un gamin de sept ans solitaire et
sensible rencontre un homme obèse
installé avec son chat Pion dans
un autobus extraordinaire. De leur
amitié va naître le partage d'une
passion : celle des échecs. Exception-
nellement doué, le petit devient un
joueur tout à fait singulier car il joue
à l'aveugle, installé sous la table.*

ŒUVRES, tome I

À travers quatorze textes qui couvrent dix ans d'écriture, toute l'ambiguïté rêveuse, l'inquiétante étrangeté, la poétique concision qui irriguent les récits de cette étonnante et prolifique auteure japonaise, devenue parfaitement culte en France.

BABEL

Extrait du catalogue

OUVRAGE RÉALISÉ
PAR L'ATELIER GRAPHIQUE ACTES SUD
REPRODUIT ET ACHEVÉ D'IMPRIMER
EN AVRIL 2014
PAR NORMANDIE ROTO IMPRESSION S.A.S.
À LONRAI
POUR LE COMPTE DES ÉDITIONS
ACTES SUD
LE MÉJAN
PLACE NINA-BERBEROVA
13200 ARLES

DÉPÔT LÉGAL
1re ÉDITION : MAI 2014
No impr. : 1401254
(Imprimé en France)